C. Faulhuber
3/86

Y0-BTA-718

Mirall
de
trobar

Berenguer d'Anoia
a cura de Jaume Vidal i Alcover

Secció de Filologia Catalana
Universitat de Palma

Publicacions de l'Abadia de Montserrat
1984

Aquest llibre ha estat publicat amb el suport de l'Excel·lentíssim Ajuntament d'Inca.

Primera edició, octubre 1984

Edita Publicacions de l'Abadia de Montserrat
© Jaume Vidal i Alcover, 1984, per a la introducció

ISBN 84-7202-647-7
Dipòsit legal: B. 33.230-1984
Imprès a Novagràfik - Puigcerdà, 127 - 08019 Barcelona

A la ciutat d'Inca,
on va viure i morir el meu padrí,
de qui duc nom i llinatge,
i que,
per haver-hi nascut el darrer trobador
de la bona escola,
té per dreta llei
la primacia cultural entre les viles
de Mallorca.

J. V.

INTRODUCCIÓ

LA TRADICIÓ TEXTUAL: MANUSCRITS, NOTÍCIES DEL TRACTAT I DE L'AUTOR

El Mirall de trobar *de Berenguer d'Anoia ens ha arribat en un manuscrit del segle XIV que fa part d'un volum que conté, a més d'aquell, les* Regles de trobar *de Jofre de Foixà, les* Razos de trobar *de Ramon Vidal de Besalú, el* Compendi de Joan de Castellnou, la Doctrina *d'acord de* Terramagnino de Pisa, *el* Doctrinal *de Ramon Cornet amb la glossa de Joan de Castellnou,* Las flors del gay saber *i el* Llibre de concordances *de Jaume March. Aquest recull du, al foli que fa de portadella, aquesta anotació, en castellà i amb lletra molt més moderna, a manera de títol de tot el volum:* El arte de trobar de Ramon Vidal de / Besalu Junto con la de Jofre de Foxá / y la de Berenguer de Noya y otros, reco- / pilados por Joan Castellnou de Gayá.

Aquesta recopilació de tractats sobre l'art dels trobadors era, a principis del segle XIX, a la biblioteca del convent dels carmelitans descalços de sant Josep —on és avui el mercat de la Boqueria—, a Barcelona, quan l'erudit dominicà Jaume Villanueva la va veure i en va donar notícia en el volum XVIII del seu Viage literario a las iglesias de España.[1] *Al volum I de les* Memorias de l'Acadèmia de Bones

---

1. En la carta CXXVIII, p. 229 a 234, d'aquest volum, explica que la biblioteca dels Carmelitans era un llegat, fet el 1654, del canonge

7

Lletres de Barcelona també s'hi al·ludeix, a aquesta recopila-
ció manuscrita, amb expressió del lloc, el convent dels car-
melitans, on es va guardar fins al 1835.[2] *Bover*, Biblioteca
de escritores baleares, i *Milà i Fontanals*, De los trovadors
en España, *ja només la coneixen per referències*.[3] *Sembla
que va passar a la Biblioteca de Catalunya, on avui es con-
serva, quan aquella només era la Biblioteca de l'Institut
d'Estudis Catalans, però no que fes part dels llibres i ma-
nuscrits de Marian Aguiló que l'Institut va adquirir el 1908
per cent mil pessetes i que constituirien la base inicial d'a-
quella biblioteca.*[4]

*Cap a la fi del segle XVIII aquest còdex degué esser
manat copiar pel marquès de la Romana, Pere Caro i Su-
reda, que era home de cultura i tenia una biblioteca de més
de devuit mil volums, segons ens reporta Bover,*[5] *perquè*

---

lleidatà Josep Jeroni Besora; l'orde dels tractats, tal com els rela-
ciona Villanueva, era el següent: el *Compendi* de J. de Castellnou, el
Doctrinal de R. de Cornet, el *Mirall de trobar*, les *Regles* de R. Vidal,
la *Doctrina d'acord* de Terramagnino de Pisa, les *Flors del gay saber*
de G. Molinier i el *Libre de concordances* de J. March.

2. A la p. 599, n. 2, diu: «Nuestro marqués de Sentmenat [Fran-
cesc de Sentmenat i Agulló, II marquès de Sentmenat] ha notado al-
gunas [arts poètiques] entre los Manuscritos de la Bibliotéca de los
Padres Carmelítas Descalzos de esta Ciudad, como de Berenguér de
Nóya, de Jófre de Foxá, de Ramón Vidal, recopilados por Juan de
Castellnóu de Gayá, y de otros.» És el volum primer de les *Memorias*,
on s'editen les *Observaciones sobre los principios elementales de la
Historia*, del marquès de Llió, Josep Francesc de Móra i Català, volum
que no du data de publicació, però que va sortir el 1756.

3. Joaquín María BOVER, *Biblioteca de escritores baleares*, I, Palma,
Imprenta de P. J. Gelabert, 1868, p. 560, art. NOYA (Berenguer); Manuel
MILÀ I FONTANALS, *De los trovadores en España*, Barcelona, Librería
de Joaquín Verdaguer, 1861, p. 478, nota, i 480.

4. Consultat el registre de la Biblioteca de Catalunya, aquest volum
hi figura com a comprat al llibreter-editor Salvador Barbra l'any 1912;
el dia d'entrada, el 29 d'abril.

5. BOVER, *op. cit.*, I, p. 167 a 169, art. *Caro* (Pedro): diu que la
biblioteca del marquès de la Romana tenia 18.215 volums i que en par-
la el P. Villanueva en el tom XIX, p. 2, del seu *Viage*; en temps de
Bover, els hereus del marquès, mort el 1811, tractaven de vendre aques-
ta biblioteca.

aquesta còpia setcentista de l'antic recull, que existeix, va passar a la Biblioteca Nacional de Madrid procedent del Ministeri de Foment, que l'havia adquirida de ca la Romana.[6] D'aquesta còpia procedien els coneixements que Paul Meyer i Joseph Anglade tenien del Mirall de trobar i sobre aquesta còpia va fer la seva edició Gabriel Llabrés.[7]

El manuscrit de la Biblioteca de Catalunya, així com la còpia de la Biblioteca Nacional de Madrid, han estat descrits per Jaume Massó Torrents[8] i el primer, a més, per Pietro Palumbo en la seva recent edició del tractat.[9] No caldrà, doncs, fer-ne una nova descripció; però, a més d'advertir que és classificat com a ms. 239, ar. 1, prest. III, no serà de sobres, potser, relacionar els treballs continguts en tot el volum; els quals són:

1. El Mirall de trobar. El títol, en vermell, és centrat sobre la 1.ª columna del text. No hi ha el nom de l'autor; no sabem si hi era: davall el títol hi havia unes paraules, d'escriptura posterior a la del Ms. i en tinta negra (la del Ms. és ocre), que deien: Lo Autor de esta Obra fon Johan de Castellnou; aquestes paraules, avui raspades, però encara

6. Jaume Massó Torrents, Bibliografia dels antics poetes catalans, a l'«Anuari de l'Institut d'Estudis Catalans», V (1913-14), p. 262; Id., Repertori de l'antiga literatura catalana. La poesia, I (únic publicat), Barcelona, Alpha, 1932, p. 76.

7. Paul Meyer, Traités catalans de grammaire et de poétique, a «Romania», VI (1877), p. 341 a 358, VIII (1889), p. 181 a 210 i IX (1890), p. 51 a 70; Gabriel Llabrés y Quintana, Poéticas catalanas d'En Berenguer de Noya y Francesch de Olesa, Barcelona-Palma de Mallorca, 1909; Joseph Anglade (vegeu la n. a les ls. 640 a 646 de la nostra versió al llenguatge actual) es va valer, sembla, de l'ed. Llabrés, i no directament de la còpia de Madrid.

8. J. Massó Torrents, Manuscrits catalans de la Biblioteca Nacional de Madrid, Barcelona, L'Avenç, 1896, no el relaciona; J. Domínguez Bordona, Manuscritos catalanes de la Biblioteca Nacional, Madrid, 1931, p. 85 a 87, pel que fa a la còpia de Madrid; per tots dos manuscrits, J. Massó Torrents, Bibliografia, p. 260 a 262 i Repertori, p. 75 a 76, només que la còpia de Madrid és designat amb la sigla γ en aquella i amb la siglo β² en aquest.

9. Pietro Palumbo, Berenguer de Noya, Mirall de trobar, Palermo, U. Manfredi, s. a. [1955], p. VII, n. 1.

*llegibles, eren posades, això és, part a l'esquerra i part a la
dreta d'alguna cosa escrita ben enmig, davall el títol, i que
avui fa impossible de llegir un barrat espessíssim de tinta
negra; potser aquest barrat oculta el nom de Berenguer de
Noya o d'Anoya o en qualsevulla forma d'abreujament en
què fos escrit; potser el va tatxar el qui a la portadella del
volum es diu recopilador dels textos, Joan Castellnou de
Gayà; de totes les maneres, l'èxplicit del tractat no permet
cap dubte sobre qui en fos l'autor. El* Mirall *ocupa des del
foli 1 r. fins a l'11 r.; l'11 v. és en blanc.*[10]

2. *Les Regles d'En Jofre de Foxà. Van del foli 12 r. fins
a la 1.ª columna del foli 23 r.; la 2.ª columna d'aquesta pla-
na i el v. del foli són en blanc.*[11]

3 *i* 4. *Les* Regles d'En Ramon Vidal, *seguides de la* Doc-
trina de compondre dictats. *Les Regles van del foli 24 r. fins
al foli 29 r., 1.ª columna; a les línies 16 i 17 d'aquesta ma-
teixa columna hi ha el títol* De doctrina de compon / dre
dictats, *que va fins al foli 31 r.; el foli 31 v. és en blanc.*[12]

5. *Les* Rúbriques del compendi, *que segueix a continua-
ció. Aquelles ocupen el foli 32 r. i v.; el* Compendi, *els folis
33 r. fins al 57 r.; l'èxplicit diu qui és l'autor d'aquest trac-
tat, però no s'esmenta en el començament; l'omissió és su-*

10. El paper del còdex, segons les referències que fa P, *loc. cit.,* a
les diverses filigranes, és de la segona meitat del segle XIV. P treu les
seves dades de l'obra de C. M. BRIQUET, *Les filigranes,* Leipzig, 1923;
també cal consultar Oriols VALLS, *Paper and Watermarks in Catalonia,*
dins «Monumenta Chartae Papyraceae Historiam Illustratia», XII, 2
vols, I (Text) y II (Watermarks), Amsterdam, «The Paper Publications
Society» (Labarre Foundation), 1970.
11. Hi ha edició d'Ettore LI GOTTI, *Jofre de Foixà, Vers e Regles
trobar,* Modena, 1952; i la de J. H. MARSHALL, *The Razos de trobar of
Raimon Vidal and associated texts,* London, Oxford University Press,
1972, p. 55 a 91.
12. Les *Razos* de Ramon Vidal de Besalú —o, en occità, de Rai-
mon Vidal de Besaudun— han estat objecte de diverses edicions i
estudis; vegeu-ne la bibliografia a MASSÓ, *Repertori,* p. 321; la darrera
ed. és de MARSHALL, *op. cit.,* p. 1 a 25; la *Doctrina,* també inclosa en
el vol. de MARSHALL, p. 93 a 98, fou editada per Paul MEYER, *op. cit.,*
«Romania», VI (1877), p. 353 a 356. Sobre l'atribució a Ramon Vidal,
vegeu MASSÓ, *Repertori,* p. 324 a 325.

*plida per una indicació en tinta negra i lletra més moderna,
en castellà:* De Mosén Juan de Castellnou, / uno de los siete
mantenedores del / Consistorio de Tolosa de / la gaya cien-
cia.[13]

6. *La* Doctrina d'acord *de Terramagnino de Pisa, que va
del foli 57 v. al 64 v.; el títol del començament és* Proemi
de doctrina / de cort; *a l'èxplicit diu:* Acabada es la doctri-
na / dacord proujncial. E de ve / ra e rahonable locucio. *No
hi ha, ni al començament ni al final, menció del nom de
l'autor.*[14]

7. *El* Doctrinal *de fra Ramon Cornet amb la glossa de
Castellnou. Ocupa els folis 65 r. fins al 82 v.; l'incipit diu:*
Comença lo doctrinal de trobar amb la / glosa o correcció
e declaració sua; *al marge, en tinta negra i lletra més mo-
derna, hi ha escrit:* Autor: Juan de Castellnou.[15]

8. *Les* Flors del Gay Saber. *Van del foli 83 r. al 158 v.*[16]

9. *El* Llibre de concordances *de Jaume March. Va del
foli 161 r. fins al 185 v. (Els folis 159 i 160 són en blanc; en
aquest darrer hi ha com a unes proves de lletra. El f. 185
és de pergamí.) Aquest tractat du el següent incipit:* Presen-
tació de plech del llibre de concordances apellat diccionari
ordenat p'En Jachme / March a instancia del molt alt e po-
deros Senyor En Pere per la gràcia de Déu Rey de Aragó.
Fon feyt en l'any M CCC XXI; *i en el darrer foli, separat del
text, hi ha el nom de* Jacme March *a manera de signatura.*[17]

13. El *Compendi* ha estat editat per Josep M. Casas Homs, *Joan
de Castellnou, segle XIV, Obres en prosa. I-Compendi de la coneixença
dels vicis en els dictats del Gay Saber. II-Glosari al Doctrinal de Ra-
mon de Cornet*, Barcelona, Fundació Salvador Vives Casajuana, 1969.

14. Inclosa en el vol. de Marshall, p. 27 a 53; publicada per P.
Meyer, *Traités*, «Romania», VIII (1879), p. 181 a 210; per G. Zaccagi-
ni i A. Parducci, i per A. Ruffinato. (Vegeu Marshall, bibliografia,
p. XCVIII a CII de la introducció a la seva ed.)

15. Vegeu la n. 13.

16. Ed. de Joseph Anglade, *Las Flors del Gay saber*, «Memòries de
l'Institut d'Estudis Catalans», vol. I, fasc. II, Barcelona, 1926.

17. Ed. d'A[ntoni] Griera, *Diccionari de rims de Jaume March*, «Bi-
blioteca Filològica de l'Institut d'Estudis Catalans», núm. VIII, Bar-
celona, 1921.

11

Tots aquests textos, tret del darrer, són escrits per la mateixa mà. El qui va ordenar la còpia d'aquests tractats, doncs, mesclava les Razos *de R. Vidal amb les tardanes* Flors del gay saber. *Ja veurem, però, que el* Mirall *no s'avé amb la minuciosa preceptiva tolosana.*[18]

La primera notícia del tractat i de qui n'és l'autor la'ns dóna Berenguer d'Anoia, ell mateix, en el verset inicial del Mirall, *on fa constar en acròstic i telèstic, respectivament, el seu nom i el nom de la seva terra nadiva, i en la continuació, també en vers, on exposa el contengut del tractat. Sabem, doncs, de manera indubitable —vegeu més endavant la mica d'estudi atent que dedicam a aquest inici del* Mirall—, *que l'autor del breu tractat de preceptiva i retòrica titulat* Mirall *de trobar es deia Berenguer d'Anoia, que va néixer a Inca, una vila, avui titulada de ciutat, ben bé al centre de l'illa de Mallorca, i que la seva família procedia de la comarca de l'Anoia, al Principat de Catalunya.*

Devers un segle més tard (1413), esmenta el nostre autor i el seu tractat, errant el nom de l'un i de l'altre, don Enric de Villena en la seva Arte *de trovar: «El Consistorio de la Gaya Sciençia se formó en Françia en la cibdad de Tolosa por Ramón Vidal de Besaldú (...) Este Ramón por ser començador no fabló tan cumplidamente. Suçedióle Iofre de Foxa monge negro, e dilató la materia llamando a la obra que hizo* Continuaçión *del Trobar. Veno después deste de Mallorca Verenguel de Troya, e fizo un libro de figuras y colores reptoricos. Después escrivió Guilielmo Vedel de Mallorca la* Summa Vitulina *con este tratado. Porque durase la Gaya Sciençia se fundó el Colegio de Tolosa de Trobado-*

18. Aquesta preceptiva de l'Escola de Tolosa va esser objecte de diverses redaccions, això és: una primera, en prosa (ed. per M. GATIEN-ARNOULT, *Les Flors del Gay Saber, estiers dichs Las Leys d'Amor*, Tolosa, 1841 a 1843); una en vers (ed. per J. ANGLADE; vegeu n. 16), i una altra en prosa (ed. per J. ANGLADE, *Las leys d'amors*, Tolosa, 1919/1920; reprint: New York, 1971).

res con autoridad y permisión del Rey de Françia, en cuyo territorio es».[19]

En parla després el marquès de Santillana, Iñigo López de Mendoza, en el pròleg als seus Proverbios, *relacionant els diversos tractadistes per aquest orde: Ramon Vidal de Besaduc, Jufre de Foxa, «el mallorquín llamado Berenguel de Noya» i «las leyes del Consistorio de la gaya doctrina que por luengos tiempos se tovo en el collegio de Tolosa, por abtoridad e permissión del rey de Francia».*[20]

Acabats els temps dels trobadors, malgrat algun singular i desesperat intent de mantenir-los o de restaurar-los,[21] *no es recorden de Berenguer d'Anoia fins al segle XVII, quan l'erudit sevillà Nicolás Antonio en fa menció a la seva* Bibliotheca Hispana Vetus *(1696), publicada a cura del canonge valencià Francesc Pérez Bayer, en segona edició esmenada, el 1788; abans d'aparèixer aquesta edició, també l'havia esmentat el benedictí lleonès i galleguista fra Martín Sarmiento, en les seves* Memorias para la historia de la poesía española *(1775), el qual ja havia esmenat el «Troya» de N. Antonio en «Noja», suposant, però, que es tractava de la vila gallega d'aquest nom, a l'actual província de La Coruña; tot això és rectificat i puntualitzat per Pérez Bayer en les notes afegides a la seva reedició de la* Bibliotheca *de Nicolás Antonio.*[22] *És també esmentat, en fi, pel bisbe Torras Amat i,*

19. Cit per l'ed. de F. J. SÁNCHEZ CANTÓN, *Don Enrique de Villena, Arte de trovar*, Madrid, Victoriano Suárez ed., 1923. La *Summa Vitulina* és ben possible que fos una altra síntesi o resum de poètica trobadoresca, potser en llatí —*Vitulina* és l'adjectiu derivat de *vitulus*, que és la traducció en llatí clàssic del llinatge *Vedell*—; pensem que el nom de Guillem Vedell —amb més freqüència escrit Vadell— no fa gens extern a Mallorca.

20. MARQUÉS DE SANTILLANA, *Obras*, Madrid, 1852; ed. de J. Amador de los Ríos.

21. Com el de Francesc d'Olesa amb la seva *Nova art de trobar*, ed. per G. LLABRÉS (vegeu n. 7) i per B. SCHÄDEL, *Un art poétique catalan du XVI siècle*, dins «Mélanges Chabaneau», Erlangen, 1906.

22. *Bibliotheca Hispana Vetus* (...) Auctore D. Nicolao Antonio (...) curante Francisco Perezio Bayerio, Valentino (...) Tomus secundus. Matriti (...) MDCCLXXXVIII. A l'índex de *Scriptorum incerti temporis,*

com ja hem dit, per l'erudit mallorquí Joaquim Maria Bo-ver.[23]

De notícies biogràfiques de Berenguer d'Anoia, no en te-nim cap, fora de les que ell mateix ens dóna en el verset que ençata el Mirall. P. Palumbo dedica una bona part de la introducció a la seva edició del tractat a explicar què de-signa Anoia o Noia; quina és la bona forma d'aquest ono-màstic; com, amb el primer o amb els successius repobla-ments de l'illa, s'establiren aquests Noias o Anoias a Mallor-ca, i acaba aquest punt del seu estudi amb una vaga hipò-tesi sobre el possible ambient literari de la Mallorca trescen-tista: «Non si potrebbe dire molto su un 'ambiente' lettera-rio maiorchino: la grandissima figura di Ramon Llull (nato a Palma nel 1233), che pur visse quasi sempre lontano dall'iso-la, dovette certo esercitare qualche influenza. Si hanno vari nomi di scrittori e composizioni poetiche di diversi autori, e forse la stessa regina Costanza (1313-1346) poetava. Indub-biamente si stabilì una unità spirituale fra Maiorca e la Ca-talogna, ed anche le relazioni letterarie dovettero essere in quel tempo notevoli».[24]

---

relaciona: BERENGARIUS DE NOYA. Gallaecus, forsan ex ita dicto oppi-do (3), laudatur auctor operis cuiusdam ad rem metricam spectantis ab Enneco Lupi à Mendoza Santillanae Marchione, in prologo *Centi-loquii*, illis verbis, quae in Raymundo Vidal inferiùs exscripsimus.» I al punt d'atenció (3) respon aquesta nota de Pérez Bayer: «Immo *Balearis Maioricensis*, ut nos olim Lib. VIII in fine capitis 6 n. 283 in Not. Adductis autem eo loco in huius rei comprobationem, addere iuvat, in alio *Proverbiorum*, seu *Centiloquii* Marchionis Sant. Iulianen-sis exemplo, quid exstat in pseudepigrapho Ioannis Yxarensis codice toties à nobis laudato, ibidem, ipsique omnino verbis legi: *Las reglas de trovar escritas y ordenadas por Ramon Vidal de Besaduc, home asàz entendido en las artes liberales è gran trovador*; (nin) *en la con-tinuacion del trovar fecha por Jufrê de foxâ monge negro; nin por* EL MALLORQUÍ LLAMADO BERENGUEL DE NOYA, etc. Quibus add. Cl. Marti-num Sarmientum *Memor. para la Histor. de la Poesia Española T. I p. 348 n. 768* quo loco pro *de Noya*, eum *de Troya* cognominat.»

23. F. TORRES AMAT, *Memorias para ayudar a formar un diccionario crítico de los escritores catalanes*, Barcelona, Imp. de J. Verdaguer, 1836 (ed. facsímil recent: Curial ed., 1973) i BOVER, *op. cit. i loc. cit.*

24. P, p. XIII.

Per part nostra, només podem dir que ni Noia ni Anoia són avui llinatges mallorquins. F. de B. Moll, Els llinatges catalans, recull les formes Nolla, Noia i Noya, amb l'explicació: «Potser Anullia, cognom llatí. Noia o Anoia és el nom d'un riu català».[25] En el Diccionari, s. v. ANOIA o NOIA, diu: «topon. Riu afluent al Llobregat. Etim.: segons Montoliu Noms fluv. 25, del llatí * AMNUCULA, dim. de amnis 'riu'; però és una etimologia improbable. En un doc. de l'any 917 apareix escrit Annolia (Abadal CC, II, 196)».[26] P. Palumbo cita encara les formes documentades Anolla, Annola, a més d'Annolia, tretes totes de la Catalunya Carolíngia de R. d'Abadal, i encara Annolia, Annolga, Annolla i Annoie, aportades per Montoliu, que es documenten, segons aquest, en els segles X i XII.[27] I encara hi ha un «fort castell d'Anoilla», també recordat per Palumbo, en una cançó del trobador Guillem de Berguedà.[28]

J. Coromines, amb la seva habitual contundència, aclareix: «Anoia (no és Noia): amb raó va rebutjant AlcM les etimologies de noms de lloc que Montoliu cercava en derivats del ll. AMNIS 'riuet, riera', f. i m., però ací potser no té raó de fer-ho, car una base * AMNUCULA amniculus, -icula (cf. * OVUCULA > empord. avoia = ovella) és versemblant en l'aspecte geogràfic-semàntic i sense la més petita objecció fonètica ni formativa (per a i < -yl- en aquesta zona, veg. EntreDL I, 36 i n. 26; i la gent de Martorell pronuncia l ənóyə amb o tancada).»[29]

El poble de Sant Sadurní, metròpoli del xampany català, s'havia dit o es transcrivia Sant Sadurní de Noya fins a les propostes etimològiques de Montoliu; com que això afec-

25. Francesc de B. MOLL, Els llinatges catalans, Mallorca, ed. Moll, col. «Els treballs i els dies», núm. 23, 1982, p. 71, s. v. Nolla. Noia. Noya.
26. Cit. per P, p. XI i pel DCVB, s. v. Anoia o Noia.
27. Cit. per P, p. X a XI.
28 Cit. per P, p. XI; M. de RIQUER, Guillem de Berguedà, Abadia de Poblet, 1971, 2 vols., II, p. 74.
29. DECLC, vol. I, p. 321, col. 1.ª.

tava la indústria de la vila, per les etiquetes de les botelles, que els sadurninencs volien, com a bons catalans, correctament escrites, varen elevar una consulta a l'Institut d'Estudis Catalans, el qual la va resoldre amb un dictamen, que, en els punts que ens interessen, declara que «Els fenòmens d'afèresi són freqüents en mots començats amb a-: en la toponímia tenim exemples com Gramunt *per* Agramunt *o bé* Gudells *per* Agudells *(...) El cas de* Noia *per* Anoia *és un exemple més facilitat perquè aquest topònim és usat regularment darrera l'article o la preposició de* (...)»; *recorda la* Llista dels noms dels Municipis de Catalunya, *publicada per la Generalitat el 1933, i diu: «En la dita llista l'Institut recomana les formes* Sant Sadurní d'Anoia, Cabrera d'Anoia *i* Vallbona d'Anoia, *les quals comporten naturalment* Monistrol d'Anoia *per a l'agregat del municipi de Sant Sadurní i* Anoia *per al riu i per a la comarca»; i, en conseqüència, «La Secció Filològica de l'Institut recomana, doncs, que la forma* Sant Sadurní d'Anoia, *que ja és usada oficialment per l'Ajuntament de la vila, sigui definitivament declarada denominació oficial». Signa el dictamen de l'I.E.C. el seu secretari R. Aramon i Serra.*[30]

Per part nostra, com que no tenim cap raó per negarnos a acceptar aquesta grafia —tot i que dubtem, amb el DCVB, de l'autoritat de l'etimologia que la justifica—, l'adoptam pel cognom del nostre tractadista, en desacord amb Palumbo, que, tot i fent detallada exposició de la proposta de Montoliu i de la documentació que l'autoritza, es decanta finalment per la forma Berenguer de Noya, *primer, perquè llegeix «ę a Noia naschron mos parens» en el darrer vers del telèstic i perquè a l'èxplicit del tractat la grafia és clarament «berenguer de noya», i segon, per la documentació d'arxius, on es troba sovint el cognom* Noya, *i, almenys en un cas,*

30. El batle consultant era el senyor Francesc Lliset i Borrell i el dictamen de l'I.E.C. es va publicar en el programa de fires i festes de Sant Sadurní corresponent a l'any 1979 (6 a 9 de setembre).

no precedit de preposició: «l'onrat mossen Miquell Noya doctor en decrets» era, segons Llabrés i el mateix Palumbo, que va poder consultar el document a l'Arxiu Històric de Mallorca, rector de la parròquia de Santa Margalida durant els primers anys del segle XV.[31] El professor Martí de Riquer, en fi, ret obediència a les normes acadèmiques i transcriu Berenguer d'Anoia.[32]

Aquest rètor, doncs, pertanyia a una família de l'Anoia que, probablement, s'havia establerta a Mallorca després de la conquesta pel rei En Jaume; no sabem si havien acompanyat el rei o algun dels seus magnats en l'expedició o si havien arribat amb les posteriors onades de repobladors.[33] Que s'establissin a Inca no és d'estranyar: era de les viles importants de l'illa, havia donat cap i nom a un dels dotze districtes de la Mallorca musulmana i va esser una de les primeres parròquies erigides pels conquistadors.[34] De l'època en què va viure Berenguer d'Anoia, no en podem fer més que conjectures, tretes del seu tractat i de la sola còpia antiga que en coneixem. Ell no apareix esmentat en cap document, suposam, ja que, si hi figuràs, és segur que l'habilitat investigadora de don Gabriel Llabrés l'hauria trobat. Tampoc no ha romàs el nom familiar en la toponímia illenca

31. LLABRÉS, *op. cit.*, p. XV a XVII; cit. per P, p. XI a XII.
32. M. de RIQUER, *Literatura*, I, p. 194 ss.
33. El tema de la repoblació de Mallorca, de tota transcendència per l'aclariment de molts de punts de la història cultural, social, política i econòmica de l'illa, està per estudiar suficientment. Sembla que l'assentament dels conquistadors a Mallorca no va esser tasca planera; que els Anoia, pares de Berenguer, s'hi establiren prest, com que sigui fora de dubte; però hi podien venir amb els conquistadors mateixos, l'any 1929, o acompanyant el rei en els seus viatges del 1231 i del 1232, o en qualsevol moment d'aquesta època de la Mallorca acabada de conquistar.
34. Inca era la villa en cap d'un dels dotze districtes de la Mallorca musulmana en temps de la conquesta. Antoni Furió diu que una prova de la distinció d'Inca entre les altres viles mallorquines és que el rector de la seva parròquia «ocupa el primer asiento en los sínodos» (A. FURIÓ, *Panorama óptico-histórico-artístico de las Islas Baleares*, Palma, imp. de P. J. Gelabert, 1840, p. 139, col. 1.ª; ed. facsímil, Palma, 1966²).

—en la seva forma simple o precedit d'un Son o d'un Can—, com hi han romasos d'altres antropònims relacionats amb la toponímia i amb l'onomàstica peninsular, com són Manresa, Tortova (Tortosa), Barcelona,[35] o Son Catlar, Son Reus, Son Servera, etc.[36] Així és que l'únic senyal de vida d'aquesta família provinent de l'Anoia i instal·lada a Inca arran de la Conquista és el tractat compost per un dels seus membres, que en ens ha pervengut en una còpia, segurament tardana, feta per un escrivent que ja no entenia del tot el que copiava.

LA RETÒRICA DE BERENGUER D'ANOIA: TERMINOLOGIA I DOCTRINA

En la terminologia pròpia de l'art de trobar usada per Berenguer d'Anoia cal distingir la que fa part del text de les seves explicacions i la integrada pels noms de les figures, dels vicis i dels ornaments retòrics que són l'objecte d'aquestes explicacions. Els anomenarem, respectivament, termes usuals, o sigui, aquells que fan part del llenguatge comú o parlar pla, com diu ell, i no requereixen més que un cert grau de cultura, però no cap singular especialització, i termes de retòrica, o tecnicismes, només coneguts i usats pels mestres i estudiosos d'aquesta branca de l'art poètica.

35. Manresa, al terme municipal d'Alcúdia; Tortova, al de Manacor; Barcelona, al de Bunyola. (Aquest darrer no figura, curiosament, al *Corpus de toponímia de Mallorca* de J. MASCARÓ PASARIUS, Palma de Mallorca, 1962/63, 6 vols.)
36. Els exemples es poden multiplicar; vegeu per aquests que don, el *Corpus de toponímia* cit., vol. IV, perquè van relacionats per orde alfabètic dins la veu *Son*. La presència onomàstica de la Catalunya continental a Mallorca ja va esser detectada per mossèn Antoni M.ª Alcover en el seu *Sermó de la Conquista de Mallorca,* que predicà el 31 de desembre del 1904, imprès a la Ciutat de Mallorca, estampa d'En Joseph Tous, 1905, p. 24 a 41.

Termes usuals

Els primers a aparèixer en el Mirall són els verbs trobar, versificar i rimar (2-3), usats en aquest punt i arreu, en tot el tractat, com a sinònims, amb les següents reserves i puntualitzacions, això és: versificar no és usat mai tot sol, sinó com a sinònim, sempre, o de trobar (411, 405-406) o de rimar (582), sovint, com ja he dit, dels dos i en una ocasió de rimar i dictar (137); no és paraula usada pels antics preceptivistes, els quals prefereixen trobar, que en el Mirall apareix sovint sola (634/635, 648) i substantivada; rimar, a part la sinonímia amb què és entesa amb trobar (393, 397, 561/562), amb trobar i versificar (127/128, 582/583) i amb dictar, com ja hem dit, és també usada tota sola en la coa del verset acròstic, o sigui, en la part en vers que explica la composició del tractat (vv. 104, 113 i 145), en el sentit, al meu entendre, quasi sinònim de trobar, però amb el matís de rimar pròpiament dit (sobretot en els vv. 104 i 113), això és, de lliurar-se a l'habilitat del joc de la consonància. No és terme que, substantivat a la manera de trobar, usin els tractadistes antics.

Verset és la paraula que segueix, pròpia del trobar, en el tractat que comentam. El terme vers ja s'entén com a diferent de cançó a les Razos de trobar de Ramon Vidal de Besalú;[37] la diferència és mantenguda i insistida a la Doctrina de compondre dictats[38] i en el tractat del manuscrit de Ripoll que explica els diversos gèneres de les composicions

37. «...mas cella [parladura] de Lemosin val mais per far vers et cansons et serventes» (ed. MARSHALL, p. 6, l. 73/74) i «...et aycellas [parladuras] de Lemosi valon mays a cansos, a serventes, a verses.» (id., p. 7, l. 74/75); el passatge és el mateix, però els textos corresponen a sengles manuscrits diferents.
38. La Doctrina comença anomenant tot una sèrie de gèneres de la poesia dels trobadors: «Aço es manera de doctrina, per la qual poras saber e conexer que es cançó, vers, lays, serventesch, retronxa, pastora, dança, plant, alba, gayta, estampida, sompni, gelozesca, discort, coblas esparses, tenso...» (ed. MARSHALL, p. 95, ls. 1 a 4).

19

trobadoresques.[39] *També s'oposa a* cançó *en el text mateix del* Mirall: *«Cançó, o verset, o cobles, o qual que us plàcia dictat» (562/563). Que* verset *no és més que un diminutiu de* vers *ens ho testifica el v. (41) 54. En el text és usat tot sol en el sentit en què l'usam actualment (615), com a sinònim de* rima *(598, 600, 672) i en una ocasió com a sinònim de* cobla *(689); en aquest cas, la sinonímia no em sembla dubtosa, perquè* cobla *és usat en el sentit de composició, no d'estrofa, ja que l'estrofa és esmentada més avall amb el nom de* posada *(690, 691, 702); la* cobla *o* cobla esparsa *era, d'altra banda, un tipus o gènere de composició. El* vers *és, doncs, definit dues vegades a la* Doctrina *i una vegada en el primer dels tractadets de Ripoll. Segons la* Doctrina, *«Si vols far vers, deus parlar de veritatz...», i encara: «Vers es appellatz per ço vers cor parla (...) de veritatz...»; segons el tractat de Ripoll, «Ves es semblant en nombre de cobles a la* cançó *e a la tornada, mas es de materia tota moral, de ço qui·s pertany a nodriment». Aquesta idea que el* vers *és una composició que conté* veritat, *o que és d'intenció moral, ve d'entendre* vers *amb el sentit de* VERUM *i no de* VERSUS, *tot i que en el* Donatz proensals, *en el repertori de rimes, Hug Faidit distingeix la vocal de* vers, *'vers' i 'primavera', que té per llarga, de la de* vers, *'ver', que considera estreta,*[40] *això és, per a la nostra bona intel·ligència, tancada i oberta, respectivament, cosa que, considerant equiparable l'oberta a la neutra, s'avé amb el tractament d'aquests mots en mallorquí (DCVB, s. v.* VER, -A *i* VERS).*

*L'*alfabet *és anomenat a la primera pàgina del* Mirall, *en els vv. 91 i 117 i és objecte de tota la primera part del tractat. Lluís d'Averçó dedica a l'*abecedari *—així l'anomena—*

---

39. El primer dels breus tractats de Ripoll també comença amb una enumeració de gèneres: «Aquestes son les diferencies entre les cançons, tençons, sirventesch, cobles, vers, dances, desdances, e viaderes.» (ed. MARSHALL, p. 101, ls. 1 i 2).

40. J. H. MARSHALL, *The* Donatz Proensals *of Uc Faidit*, London, Oxford University Press, 1969, p. 206 i 207.

tota una part, la sisena de la primera partida, del seu Tor-cimany; *en fa la cronologia, dient que primer va esser el caldeu i seguiren l'hebraic, l'aràbic, el grec, el got i el llatí, de tots els quals acompanya transcripció en els respectius propis caràcters; i clou aquesta història de l'alfabet o abece-dari amb uns versos característics de la docència medieval, en els quals recull la tradició de la nimfa Carmet com a inventora de l'alfabet llatí; no retreu, però, l'autoritat de sant Isidor, sinó la de Boccaccio, ni esmenta el fill de la nimfa, ni diu que fos una de les sibilles. Tampoc no dóna els noms dels alfabets hebraic i aràbic.*[41] *Sembla, doncs, que la infor-mació de Berenguer d'Anoia era tota una altra, malgrat els punts de coincidència, de la que tenia Lluís d'Averçó.*

La lletra equival al que els filòsofs anomenen element, *i, així com amb els elements es componen cossos, així, amb les lletres o beceroles ajustades, això és, adequadament con-fegides, es componen síl·labes i diccions, és a dir, comença-ments o parts d'una paraula i paraules senceres. Averçó tam-bé parla de síl·labes i de diccions, però, a més, d'oracions, que és terme que Berenguer d'Anoia sembla desconèixer.*[42] *Curiosament, per Averçó la lletra és, en principi, una repre-sentació gràfica:* «Pròpiament letra és forma, ço és una pin-tura...» (Torcimany, *I, p. 34), mentre que per Berenguer d'A-noia és un so, i, a part la divisió tradicional en* vocals, *que així es diuen* «car cascuna fa veu per si», *i* consonants, *que és precís ajustar amb vocal perquè facin síl·laba o dicció, divideix aquestes, no per raó de la seva funció en el llen-guatge, sinó pel so que fa el nom de cadascuna, i són* mudes *la* be, *la* ce, *la* de, *la* ef, *la* ge, *la* ka, *la* pe, *la* qu *i la* te *per-què el seu nom comença en consonant i acaba en vocal, i són* mig vocals *la* el, *la* em, *la* en, *la* es, *la* er *(o* err*) i la* ics; *això, amb les següents observacions: que la* ef —*nom que el trac-*

41. *Torcimany*, de Lluís d'Averçó; ed. a cura de J. M. Casas Homs, I, p. 47 a 54.
42. *Torcimany*, I, p. 45, 46 i 60 i 61.

*tadista mateix ens testifica, posant-lo en rima en el verset—
és muda, però la pronunciam com a mig vocal, i que la* ics
en algunes parts del domini català és dita xeix, *però que és
aquell el seu recte nom.* Ja els retòrics llatins tenien aques-
tes dues lletres per conflictives i desagradables de so: Ciceró
tracta la f d'insuauissima littera i la x de uastioris.[43] Pel que
fa a la primera, Averçó no se n'ocupa especialment; però
respecte a la x, discrepa del nostre tractadista, ja que per
Averçó el bon nom d'aquesta lletra és el de xex i encara acla-
reix que cal dir i es diu «xexegar e no echsejar» (Torcimany,
I, p. 36) i per Berenguer d'Anoia el nom correcte és ex i no
ceix.

Parla després del metaplasme, *que és terme propi de re-
tòrica, i diu que en surten* especies e figures. *Aquests dos
termes procedeixen de la Gramàtica*[44] *i signifiquen els re-
sultats de les aplicacions teòriques, és a dir, les paraules i
les frases o oracions que surten del bon ús de la preceptiva.
Són termes d'ús comunal, encara que propis de la retòrica;
no els trobam en els vells tractadistes i se'n valen sovint, en
canvi, els de l'Escola de Tolosa. El Mirall els usa quasi sem-
pre en sinonimia (93, 107/108, 141, 185, 225, 263, 299, 333, 359,
380, 382); però diu únicament 'figures' en diverses ocasions
(12, 109, 182, 262, 297/8, 332, 358).*

Esmenta com a sinònims, *trobadors i poetes (106), tot i
que ens han ensenyat que els trobadors eren els que compo-
nien en llengua vulgar, mentre que els poetes ho feien en
llengua llatina.*[45] *A l'època que Berenguer d'Anoia componia
el seu tractat, devia esser ja tan anacrònica la composició
de poemes en llatí —cosa que no vol dir que no se'n com-
poguessin, sinó que no era una activitat viva, normal, entre
la gent de la lletra—, que la distinció havia perdut la seva
raó d'esser. Així mateix, però, en el fragment del tractat que*

43. Cɪᴄ., *Orator,* 163 i 153, resp.
44. Cɪᴄ., *Orator,* 81, distingeix *ornamentum et uerborum et senten-
tiarum;* com *Etym.* entre *metaplasmus* (I, 35) i *schemata* (I, 36).
45. Rɪǫᴜᴇʀ, *Trovadores,* I, p. 19.

22

introdueix les figures del metaplasme, Berenguer d'Anoia re-treu com a autoritats que consenten aquestes figures i les fan els poetes *i els* filosofs, *amb exclusió, en aquest passat-ge, dels trobadors (94/95).*

Vagant *(112, 278)* i sobrevagant *(433, 467, 478, 482), apli-cat a una lletra o a una síllaba és adjectiu usat en el sen-tit de 'sobrera'; el nostre preceptivista se'n val en l'explica-ció de les figures de la protesi i la paragoge i dels vicis del pleonasme, de la tautologia i de l'assirologia. No l'usen els retòrics de l'Escola tolosana, que prefereixen altres termes, com és ara* sobreabundant o supèrflua. *A sant Isidor, però, trobam* supervacua *(*Etym., *I, 34).*

L'adjectiu pla aplicat al llenguatge (201) o bé l'expres-sió pla parlar (244, 292, 327) indiquen, per Berenguer d'A-noia, el llenguatge o la parla usual, normal i correcta, en fa punt de referència per assenyalar la condició que tenen els vicis i àdhuc les figures de dicció d'anormals i, en un punt concret —en parlar del solecisme—, l'entén com a sinònim de bona parla: «cresien parlar pla e no ordenaven les dic-cions així com devien» (421/423). En aquest sentit, el nos-tre tractadista és un clàssic: pensa que la primordial, inelu-dible, condició del llenguatge artístic —ja que es tracta de donar unes indicacions referents a la llengua poètica o lite-rària— és que sigui intel·ligible, com ho és, o cal que ho sigui, el llenguatge domèstic o col·loquial, i és conseqüència d'aquesta manera de pensar el corol·lari amb què tanca el capítol de les figures del metaplasme: «Perque per aquestes e per altres species o figures pot hom sostrer o ajustar en diccio en son trobar, e sostenir replicament, e de diccio, o contrarietats, salvant que sustancia a proprietat no hi sia mudat ni corromput» (382 a 387).

En relació amb aquest concepte cal entendre el de bell pronunciament, *emprat en parlar del vici del barbarisme (413). En aquest mateix passatge trobam una distinció entre* ús i art, *en unes línies, justament, que entenem amb lleuge-ra diferència Palumbo i nosaltres. Diu: «En aquest vici han* *pochs errat en versificar, o en trobar, mes molts hi han [errat], o hi poden leu errar en lo pronunciar, si no entenen ço que dizen per art o per ús de bell pronunciament; on tothom se'n degra fort pendre guarda en son parlar, o pronunciar, o ordenar, o liger, sobre què deuen fer l'accent».* (P puntua amb punt i seguit darrera dizen i interpreta el guarda del Ms. en 'guarden'.) [46] El sentit sembla clar, tal com el donam en la nostra versió al llenguatge actual.*

Trobam aquests conceptes d'art i d'ús en els vells tractadistes: «...car nul gran saber non pot hom haver sens grand ús, sitot sap l'art» (Razos) [47]; «E eu altrey li que segons art el dix ver e que·ls deu hom axi pausar; mas no li altrey que li trobador errason, per ço car ús venç art, e longa costuma per dret es haüda tant que venç per ús» (Regles); [48] i d'aquests passa als de l'Escola tolosana: «La terça causa és ús, ço és, usar la manera del parlar...» «E la quarta causa és art...» (Torcimany, I, p. 31). No cal dir que aquesta idea de l'ús com a àrbitre, llei i norma de la parla ja és a Horaci (Ep. ad Pisones, 72); però pens que la que en tenien els trobadors no era exactament la dels mestres de la llatinitat.

Vici s'oposa a violació de regla de gramàtica, en el sentit d'infracció contra l'ús normatiu de la llengua, o, almenys, no és ben bé el mateix, perquè s'entén més tost com a infracció contra el bell parlar, contra l'art. Això suposa que Berenguer d'Anoia no escriu un tractat gramatical, sinó que

46. P, p. 25/26; vegeu la nota corresponent a aquest passatge en la nostra versió a la llengua actual.

47. Ed. MARSHALL, p. 158, l. 404/405; aquest passatge desment l'afirmació d'E. Li Gotti —recordada per P, p. XV—, quan diu que Jofre de Foixà, «contrariamente a lo que hace Ramón Vidal, defiende el *us* en contra del *art*» (*Jofré de Foixà*, dins «VII Congrés Internacional de Lingüística Romànica», Barcelona [1953], 1955, Vol. II, p. 297), tot i que també diu Ramon Vidal d'alguna expressió que «mal seria dich (...) si tot hom dis per us...» (ed. MARSHALL, p. 10, l. 164/165): 'estaria mal dit (...) encara que hom digués per ús...'

48. És la rèplica de Jofre de Foixà a un altre passatge de Ramon Vidal, d'on degué prendre base el professor Li Gotti per l'afirmació comentada en la n. anterior. (Ed. MARSHALL, p. 84, ls. 540 a 543.)

dóna per assolits uns coneixements de la Gramàtica per part d'aquells trobadors, o aprenents de trobadors, als quals s'a-dreça.[49] *Sembla distingir entre* vici *i* falliment *de paraules (350) i entre* vicis *i* defalliments *(560) en general o* defalliments de raons, de mots o de rimes *(576/577): cal suposar que* falliment *i* defalliment *signifiquen mancança, pobresa de paraules, de raons (de temes, argumentacions, rèpliques) o de rimes.*

La distinció que fa, en el paràgraf dedicat a l'amfibòlia, entre senya *i* significat *i* enteniment *(440/441) podria semblar una avançada, ben prematura, de la distinció saussuriana entre* signifiant *i* signifié, *si no fos que més endavant sembla usar els dos termes en sinonímia (448 i 451).*

En el paràgraf explicatiu de l'ornament de la gradasia, distingeix entre veu, forma *i* raó *(626-627): la* veu *és el* so, *que determina la consonància de la rima (615/616, 590/591* consonació, *650/651* dicció consonant*); la* forma *és el* mot *o els resultants de la seva alteració per la flexió nominal o verbal o per l'afixació; la* raó *és el contingut semàntic de la paraula. Aquesta distinció, que veig clara i no crec que sigui el fruit d'una interpretació abusiva per part meva, la trobam també, encara que no tan neta, en els tractadistes posteriors (Torcimany, I, p. 31/32: on anomena, entre les set causes que «son nesesaries al intellectual e humanal parlar», és a dir, a la* veu, el seny, *que ve a esser la* forma, *i la* rahó). *No volem suposar que Berenguer d'Anoia tengués consciència de la qualitat de tecnicismes lingüístics d'aquests termes, com seguroment no en tenia de les possibilitts d'anàlisi i estudi lingüístic de la distinció entre* enteniment *i* senya. *Però això ens fa veure un tractadista mallorquí ben instruït en la ciència i l'art de trobar, sensible a l'estètica de la llengua —que inauguraria així una tradició mantenguda fins just suara*

49. P, p. XXI; B. d'A., en parlar del vici del solecisme, diu que «no tan solament es vici per si, ans es contra regla de gramàtica» (440 a 441).

*pels escriptors mallorquins—, i ens revela, a més, el seu in-
dependentisme, relatiu pel que fa als vells tractadistes, total,
gosaria dir, pel que es refereix als tolosans, tot i havent be-
gut, ell i aquests i els altres, en les mateixes fonts: els gra-
màtics i retòrics de la Llatinitat.*[50]

*Havia de conèixer, a més, i coneixia la nomenclatura de
la lírica dels trobadors:* cançó, vers, rima, rim, cobla, cobles
esparses, tençó, *etc. Però que no fa un tractat dels diversos
gèneres conrats pels trobadors —com ho són, en canvi, els
tractats de l'Escola tolosana, de Guilhem Molinier a Lluís
d'Averçó—, ens ho demostra quan totes les composicions
que retreu com a exemples de les seves figures, vicis i or-
naments retòrics, les anomena, amb una absoluta indiferèn-
cia,* cançons, *que, a més, identifica amb el* vers *(583), o l'hi
oposa (vegeu* supra*), així com identifica el* vers *amb el* rim
(628) o la rima *(600) —usant* vers, *en aquests dos dar-
rers llocs, en el sentit de* bordó, *terme més propi, però usat
només pels teòrics de l'Escola tolosana* (Torcimany, I, p. 97
ss.), *no pels antics preceptivistes, i així no és estrany que
Berenguer d'Anoia el desconegui—, sense que això li impe-
deixi d'usar també* rima *en el sentit restrictiu i propi o, al-
menys, usual (572, 573). Parla, així mateix, quan convé, d'al-
guns gèneres singulars: les* cobles esparses *(572), la* tençó
(571 i 572), la regonexença *(552/553) i la* guaita *(674). Aques-
ta manca de rigor tècnic, d'especialització, aquesta lleugeresa
en la utilització dels termes propis de la ciència literària,
no suposa cap trencament amb la bona tradició, ans al con-
trari: la bona tradició es trenca quan els tractats de Retòri-
ca comencen a engreixar; l'enriquiment de la ciència lite-
rària sol anar en proporció inversa a la qualitat de les obres
d'art corresponents, i sembla que això és una constant en la*

50. P, p. XVII, esmenta Priscià i la «trattatistica mediolatina» en
general; vegeu, en la part dedicada als termes de Retòrica, les nostres
abundants referències a les *Etimologies* de sant Isidor i les observa-
cions que hem cregut oportú de fer.

història de la Literatura.[51] *Tots aquests termes es troben en els tractats antics, d'altra banda, tret de* regonexença, *que no és tampoc, però, a Castellnou ni a Averçó, que igualment no coneixen la* guaita, *esmentada, en canvi, per la* Doctrina de compondre dictats *(vegeu la n. 38).*

Diguem, finalment, que usa posada *per estrofa o com a sinònim de* cobla, *cap al final del tractat (690, 691, 702), no havent-la usada mai abans, cosa que ens pot fer sospitar que el* Mirall *de trobar no fos conclòs pel mateix Berenguer d'Anoia; això podria resoldre unes perplexitats que hem d'exposar més endavant. Aquest terme de* posada, *en el sentit d'estrofa o, més precisament, d'ordenació estròfica, no el trobam ni en els tractadistes antics ni en els tolosans; això no obstant, és paraula viva en el català d'avui, o just d'ahir mateix, en aquest sentit que l'usa el* Mirall.[52]

Termes de Retòrica

Per explicar la retòrica de Berenguer d'Anoia no caldrà fer-nos gaire lluny de sant Isidor, que ell mateix cita per autoritat al començament del Mirall *(5), quan exposa l'origen de l'alfabet i la classificació de les lletres (5 a 80), en una encertada adequació a la llengua catalana —més pròpiament, que no a l'occità dels trobadors— del paràgraf 4 del llibre I de les* Etimologies. *Tot el* Mirall *de trobar és, com veurem en la descripció del tractat, una adaptació en resum de la doctrina gramatical i retòrica contenguda en l'obra del savi bisbe de Sevilla a les necessitats de la composició literària en llengua vulgar, segons les vies de la lírica dels trobadors,*

51. «La poesia queda amenaçada quan els poetes demostren un interès teòric massa viu pel llenguatge...» (E. M. CIORAN, *Valéry face à ses idées*, ed. de L'HARNE, 1973).
52. DCVB, s. v. *posada*, 5; treu com a autoritats d'aquesta accepció un document del segle XVI i sengles textos de VERDAGUER, *Canigó*, i de VÍCTOR CATALÀ, *Vida mòlta*.

marcades primer per les composicions mateixes, com és de raó, i sotmeses després, a partir de Ramon Vidal de Besalú, a reglamentació, mitjançant uns tractats, més o menys breus o extensos, gramaticals o de preceptiva literària. Però, per Berenguer d'Anoia, la llengua a la qual adapta la doctrina dels gramàtics llatins és la seva pròpia llengua, és a dir, la sola expressió literària, artística, possible de la seva llengua familiar; [53] *i que pensa en el seu català, en aquesta primera part del tractat, em sembla de tot punt evident.*

El terme metaplasme és usat per Berenguer d'Anoia en el sentit de llicències poètiques, d'acord amb la tradició llatina medieval: Metaplasmus Graeca lingua, Latine transformatio dicitur. Qui fit in uno verbo propter metri necessitatem et licentiam poetarum *(Etym., I, 35-1); és a dir que el metaplasme és l'alteració o transformació d'una paraula per raons de mètrica i llicència de poetes. Es podria definir com un «barbarisme tolerat» a la vista d'aquest text:* Barbarismus nullo modo excusari potest: si a nobis per imprudentiam fiat, vitium est; si a poetis vel oratoribus, virtus locutionis et apellatur Graece metaplasmos *(Lausberg, 479); això és que el barbarisme no té excusa de cap de les maneres: si el feim nosaltres per imprudència, és vici; si el fan els poetes o els oradors, és virtut de l'expressió i l'anomenen en grec metaplasme. Aquest és el sentit en què Berenguer d'Anoia l'entén: com a alteració de la paraula segons unes lleis que l'admeten com a llicència en les composicions dels trobadors. No se li acut mai confondre'l amb el barbarisme.* [54]

D'aquestes alteracions, el nostre tractadista n'anomena i

53. Sobre aquest punt de l'occità com a llengua pròpia de la poesia dels trobadors catalans i encara dels poetes catalans dels segles XIV i XV, vegeu RIQUER, *Literatura*, I, p. 21 i 22, i, especialment, Andreu FEBRER, a cura de M. de RIQUER, Barcelona, «Els Nostres Clàssics», 1951, apèndix II, p. 140 a 160.

54. Les *Etimologies* fan aquesta distinció: *Item quando in prosa vitium fit sermonis, barbarismus vocatur; quando in metro, metaplasmus dicitur (Etym,* I, 32, 2).

n'explica vuit, això és: sis que s'oposen mútuament per pa-
relles; a saber: la pròtesi i l'afèresi, l'epèntesi i la síncopa,
la paragoge i l'apòcope, i, a més, dues de soltes: l'epizeuxis
i l'antífrasi, que els gramàtics antics tenien com a figures
del discurs o ornaments de l'expressió. Totes aquestes figu-
res del metaplasme són definides per sant Isidor; les sis pri-
meres com a tals, això és, com a figures, species, del meta-
plasme (Etym., I, 35); l'antífrasi, com a trop (Etym., I, 37-
24); i l'epizeuxis, entre els schemata o figures de dicció
(Etym., I, 36-10).

Per pròtesi és lícit afegir una lletra o una síl·laba al co-
mençament de la paraula. Berenguer d'Anoia posa els exem-
ples sembla / ressembla, torna / retorna, dos tants / dos
aitants i preiar / apreiar. Reparem que en cap d'aquests ca-
sos és alterat el sentit de la paraula. Així també en l'afèresi,
per la qual es pot llevar un element, lletra o síl·laba, del co-
mençament de la paraula: ajusta / justa, acompanyats / com-
panyats, oltracujats / tracujats són els exemples del tracta-
dista, més un altre que afecta, no la paraula, sinó la sintaxi:
de mon paire / mon paire en l'expressió interjectiva pel cap
mon paire; en aquest cas, quan Berenguer d'Anoia posa l'e-
xemple, ens ve a notificar que ja ha caigut en desús la cons-
trucció del determinant sense proposició, que venia a esser
una resta romànica del genitiu llatí, i en tenim exemples
en la poesia francesa antiga —recordem títols com Le char-
roi Nîmes, La mort Artu— i nombrosos en la poesia dels
trobadors: per exemple, el vers «Marcabrus, filhs Marcabru-
na», a la tornada d'un famós sirventès d'aquest trobador.

Per l'epèntesi podem afegir una síl·laba o una lletra en-
mig de la paraula. Un exemple clàssic dels gramàtics és el
de Mavortis (Verg. Aen. VIII, 630) per Martis, encara que
l'alteració és potser la d'aquesta darrera forma, ja que la
primera és una forma arcaica del nom del déu Mart. Beren-
guer d'Anoia dóna per exemples emperador / empereador,
borna / boforna, reverditz / reverdesitz i fesets / fesessetz.
Aquesta llicència és perillosa, o de conseqüències imprevisi-

29

bles: quan l'allargament epentètic s'assenta en una parla,[55] *pot resultar o bé netament rebutjable o bé feliçment acceptat, com són, respectivament, els casos dels mallorquinismes 'diguiga' i altres d'analògics, que només inviten a refús, i els graciosos 'mèllera' (o 'mèrlera'), 'guàtlera' i altres de similars. La figura contrària d'aquesta és la síncopa, que, en l'evolució del llenguatge, ha donat molt més rendiment que l'altra. Pensem en els barcelonismes 'carbassa', 'cargol', 'brenar' i altres de consemblants. Els exemples del tractadista no són especialment il·lustratius els dos primers:* ociosetat / ocietat *i* cavaller / caver *són com a barbarismes; els altres dos,* m'aguessetz / m'agssets *i* prezeira / preira, *sí: són totes quatre formes pròpies de l'occità.*

La paragoge *tolera l'addició de lletra o síllaba al final de la paraula. El tractat dóna l'interessant exemple de* sens / sense, *on s'esdevé el cas d'haver dominat en la llengua la forma paragògica, l'irrellevant* senyor / senyore, *els casos de* perer / perera *i* server / servera, *per on sembla que els mots originaris ortodoxos eren els masculins —tot i que els noms d'arbres, en llatí clàssic, eren per regla general femenins— i com que s'hagin mantengut a la Catalunya Vella, mentre que a la resta del domini català s'han imposat les formes femenines, i encara el* d'alè / alena, *que potser pel trobador Pèire Vidal no era una forma paragògica, però sí per Berenguer d'Anoia, que almenys, l'havia de veure com una forma exclusiva del llenguatge poètic (ap. DECLC, I, p. 173, col. 1.º, 10 a 13). La figura contrària, l'apòcope, per-*

55. Segons J. Coromines, la documentació més antiga de *bornar*, en llengua catalana, és *boornaren*, forma que figura en el ms. més arcaic de la crònica de Desclot; dóna, a més, tot d'exemples amb doble vocal: *biornar, baorn, boornar*, catalanes; *biornar, baornar, beornar*, occitanes; *biordar, biorn, biordat*, en el poema narratiu *Jaufré*; no esmenta la forma retreta per B. d'A., que, però, no és difícil d'explicar: d'una banda, per l'etimologia (d'un suposat fràncic BIHURDAN); de l'altra, com a presència d'una consonant antihiàtica. Coromines dóna encara exemples de *bofordar* i *bofort* castellans i d'un *bafordo* en un document gallec en llatí (DECLC, s. v. *bornar*).

met llevar una lletra o una síl·laba del final de la paraula.
El primer exemple, los francesos / francès, suposa una ex-
pressió catalana, los francesos, contrastada amb una d'occi-
tana, [li] francès; els altres exemples estan lligats estreta-
ment amb la mètrica: Peire / Peir, sobr'archa / sobr'arch *i*
encursera amor / encurser'amor *suposen, almenys els dos*
darrers —i cal pensar que també el primer—, la resolució
en sinalefa del contacte vocàlic, que, en la poesia antiga,
tenia una representació gràfica expressa, de tal manera que,
en l'exemple que el tractadista posa de Guerau de Bornelh,
passa sense veure l'apòcope que, d'acord amb la seva expli-
cació, es dóna en el primer vers de la cançó que retreu: dous-
saura *per* doussa aura. *Aquest punt lliga amb el que exposa*
més envant com a vici anomenat hiat.

Les altres dues figures del metaplasme explicades per Be-
renguer d'Anoia les dóna com a soltes, i, en efecte, en els
ensenyaments dels gramàtics i dels retòrics restaven fora del
conjunt de les altres i s'estudiaven com a ornaments de la
frase o de l'elocució, entre els schemata *o els* tropi, *com fa*
sant Isidor. El qual defineix l'epizeuxis *com a* in uno sensu
congeminatio verbi, *la repetició d'una paraula en la mateixa*
frase, i posa un exemple de Virgili: sic, sic iuuat ire sub
umbras (Aen. *IV, 660); Virgili es val sovint d'aquest recurs*
per subratllar l'emoció en passatges singularment commove-
dors; sense aquesta intenció virgiliana, són, tanmateix, els
exemples d'Aimeric de Peguilhan i de Pèire Vidal proposats
per Berenguer d'Anoia, perfectament il·lustratius. L'antífra-
si —que és la segona de les figures soltes que relaciona el
tractat— és entesa per sant Isidor com a figura de dicció,
tropus, *i la defineix com a* sermo e contrario intellegendus,
això és, paraula o frase que cal entendre en sentit contrari,
i dóna els exemples de dir lucus *('lluminós') a un bosc, on*
no hi entra la llum per l'espessor de l'arbreda, o Eumenides
('benefactores') a les Fúries, que no aporten cap benefici a
ningú (Etym., *I, 37-24). La cançó de Guilhem de Sant Leidier*
que recorda Berenguer d'Anoia és una cançó misògina que

31

comença dient que «prou sap parlar bé d'amor» i és per això que després aconsella donar mal tracte a les dones per obtenir el seu amor. Un bon exemple d'antífrasi podria esser el socràtic «Coneix-te a tu mateix»: l'antífrasi queda molt prop de la ironia i de vegades s'hi confon.[56]

Els vicis que ha d'evitar el trobador són també vuit, com les figures del metaplasme, a saber: barbarisme, solecisme, pleonasme, amfibòlia (o amfibologia),[57] tautologia, assirologia, hiat i metacisme. Tots aquests vicis són anomenats i explicats dins el tractat, però els dos darrers no tenen nom al resum o relació final (722 a 725), amb la qual cosa es subratlla la simetria amb les figures del metaplasme i les colors o ornaments de retòrica, que també són vuit; i més quan el penúltim dels vicis, l'hiat, és qualificat de «solter»; més encara: a sant Isidor, l'hiatus i el motacismus són exposats a un paràgraf diferent (Etym., I, 32) dels altres sis (Etym., I, 34).

Barbarisme, diu Berenguer d'Anoia, «vol aitant dir com fals parlar en estrany lenguatge», i així es manté fidel a la bona tradició dels gramàtics, per a la qual el terme denotava la ingerència en la llengua d'un element que no li és propi, no que fos necessàriament una corruptela provinent d'una llengua externa, malgrat l'etimologia: Appellatus autem barbarismus a barbaris gentibus, dum Latinae orationis integritatem nescirent (Etym., I, 32-1). Avui sembla que barbarisme significa exclusivament 'estrangerisme' i que només en aquest

56. LAUSBERG, 585.
57. B. d'A., o el seu copista, erren de vegades la denominació de les figures, vicis i ornaments retòrics; no en el cas d'amfibòlia, llargament documentat i més antic que 'amfibologia'; però sí en tantologia —tot i que és aquesta la forma que usa sistemàticament Lluís d'Averçó—, metatisme, sinatisme o sinatrismos o smatrismos, etc. En el cas de l'epizeuxis —que transcrivim així, mantenint la -s final, perquè no hem trobat el terme en els nostres lexicògrafs i no veim raó suficient per alterar aquella forma— les Etimologies l'anomenen hipozeuxis, i així també els seus traductors. En tractadistes posteriors y pozensin (Faral, Les arts poétiques du XIIᵉ et du XIIIᵉ siècle, Honoré Champion, Paris 1971).

32

sentit és usat; però els nostres repertoris lexicogràfics, des del DCVB fins al recent DLC, l'entenen en la seva pròpia amplitud, i aquest l'especifica, completant la definició del DG: «*1 Falta comesa contra la puresa del llenguatge, que consisteix a emprar a tort, en la parla i en l'escriptura, els mots i les expressions de la llengua pròpia. 2 Ús impropi o innecessari d'expressions i de mots forasters contra el geni de la llengua (castellanismes, gallicismes, etc.). 3 Ús de formes verbals incorrectes o vicioses. 4 Errada d'ortografia*». *En aquesta quàdruple accepció, potser la 3 ja va inclosa dins la 1, però la podem entendre com a precedida d'un «especialment», de la mateixa manera que hi entenem l'explicació de Berenguer d'Anoia: «esp.: desplaçament incorrecte de l'accent en paraula o frase»; així ho interpret, i pens que el punt d'atenció del tractadista medieval és de tota actualitat.*[58]

Per solecisme *entén la mala concordança:* dona blanc, bella és lo cavaller. *El solecisme és, en efecte, una incorrecció* in uerbis conjunctis, *és a dir, una falta de sintaxi; així el defineix sant Isidor:* plurimorum verborum inter se inconveniens compositio *(Etym., I, 33-1)* i conpositio vitiosa verborum *(Etym., I, 34-3).*

El pleonasme *és també un vici de sintaxi:* adiectio unius verbi supervacua *(Etym., I, 34-6), l'afegitó d'un mot sobrer. Aquest vici atempta contra la qualitat més excellent que els gramàtics llatins, de filiació horaciana, trobaven en el discurs i li exigien: la* brevitas. *Tanmateix, els exemples que posa Berenguer d'Anoia, «ho he vist amb els meus ulls», «ho he dit amb la meva boca», han passat al llenguatge colloquial i àdhuc al literari, que en fan ús bastant freqüent, perquè el pleonasme, aquí, obra al servei d'una major força expressiva. (Notem, en fi, que sant Isidor posa com exemple*

---

58. Avui, aquest barbarisme accentual es dóna en dues paraules de tota actualitat, que, venint-nos del francès, són accentuades a la castellana, perquè no les hem apreses per la via oral, sinó per l'escrita: «élite» i «travesti», pronunciades, la primera esdrúixola i plana la segona.

3.

del vici de pleonasme un bell vers de Virgili, el primer del llibre II de les Geòrgiques: Hactenus aruorum cultus et sidera coeli, *pels* sidera coeli, *ja que no hi ha estrelles fora del cel i dir «estrelles del cel» és pleonàstic; val a dir que més endavant,* Etym., II, 20-4, *admet el pleonasme com a virtut retòrica, quan esdevé* emphasis.*)*

*L'*amfibòlia *és l'ambigüitat* —ambigua dictio (Etym., I, 34-13)— *que neix del mal ús del lèxic o de la mala ordenació de la frase. Són típiques amfibologies intencionades les respostes dels oracles* (Etym., ibid., *cita un vers d'Enni que conté una resposta d'Apol·lo a Pirros:* Aio te, Aeacida, Romanos vincere posse, *això és, «Et dic, Eàcida, que els romans podran vèncer» o «que podràs vèncer els romans»). D'un mal ús del lèxic és l'exemple de la cançó atribuïda a Peirol, i que és en realitat d'Izarn Rizol: l'amfibologia resulta del propi sentit del verb* caure *o* cazer.[59] *L'exemple primer,* mengen los cans per fam *o* lo pa menja el ca, *ho és del vici per mala ordenació de la frase. Finalment, l'exemple de Bernat de Ventadorn ho és d'ambigüitat en l'expressió: ¿'com a bon senyor que seria per ella' o 'com a bon senyor que som en tot moment'? Els tres casos són contemplats pels gramàtics llatins.[60]*

La tautologia —a sant Isidor idemloquium (Etym., I, 34-9); *pot esdevenir, com el pleonasme,* èmfasi (Etym., II, 20-4)— *és la proposició que afirma o nega una cosa òbvia: «ajustament de dicció sobrevagant d'un mateix significat» Els exemples del* Mirall, «jo mateix», «vós mateixa», *no són prou il·lustratius i potser convenen més al pleonasme. Exemples populars de* tautologia *són «les veritats de Pere Grull, que a la mà tancada li diu puny».[61] Un exemple bo de tautologia*

59. Pel caràcter amfibològic d'aquest verb, vegeu la n. al passatge corresponent de la nostra versió al llenguatge actual (ls. 404 a 405).

60. LAUSBERG, 222.

61. Trec l'exemple de Sebastià Farnés, en el seu inèdit *Assaig de Paremiologia Catalana Comparada* (publ. només el vol. I, Il·lustració Catalana, Barcelona, 1913), l'una fitxa ordenada sota la seu VERITAT.

seria la frase «*Aquest home creu en Déu per fe*», *perquè no es pot creure en Déu per altra via sinó la de la fe.*

*L'*assirologia *és la dicció impròpia:* Acyrologia non propria dictio *(*Etym.*, I, 34-4); sant Isidor posa un exemple tret de Lucà (*Farsàlia, II, 15*):* liceat sperare timenti, *que suggereix a Berenguer d'Anoia el seu exemple:* jo sper trebaylls, *quan pensa que és més propi «tèmer els treballs» que no «esperar-los» així també sant Isidor:* Proprium est autem timenti formidari, non sperare, *és a dir, «Car és propi del temerós tèmer (tremolar), no esperar». Els altres exemples no ofereixen dificultat: «pàixer (en l'exemple; també 'péixer', 'peixir' i 'apeixir') els ulls», «matar el mort», «menjar-se el que hom diu».*

*L'*hiat —*que per sant Isidor es dóna quan* in pronuntiatione scinditur versus antequam conpleatur *o* quan vocalis vocalem sequitur *(*Etym.*, I, 32-5)— és definit per Berenguer d'Anoia simplement com un contacte de vocals. Caldria especificar. D'una banda, avancem que els gramàtics relacionen tot de casos d'*hiat prohibitiu *(Lausberg, 970); nosaltres diríem només que l'*hiat *es dóna quan hi ha contacte entre dues vocals, en paraules distintes o dins la mateixa paraula, i no formen diftong, quan en bona fonètica n'haurien de formar. (El contrari de l'*hiat *és la* sinalefa, *no considerada pel* Mirall, *la qual direm que és viciosa quan les vocals que per ella diftonguen, en bona fonètica no deuen diftongar.) Els versos adduïts per Berenguer d'Anoia com a exemples d'hiat s'han de llegir: «Que si·m fos fera estranya» (7 síl·labes mètriques) i «Ans és folia e enfansa» (8 síl·labes mètriques).*[62]

El metacisme, *o* mytacismus *dels gramàtics,* motacismus *per sant Isidor, es dóna, segons aquest,* quotiens M litteram vocalis sequitur *(*Etym.*, I, 32-6), o sigui, quan la lletra M va seguida de vocal. Coincideix amb Berenguer d'Anoia, que no*

---

62. La sinalefa era marcada, en l'escriptura antiga, suprimint una de les vocals en contacte; quan no se suprimia, es donava l'hiat.

veu en aquest vici el perill de la cacofonia,[63] *sinó una possible confusió del sentit de l'expressió perquè les paraules s'entenguin diferents de com s'han usades, i en el darrer exemple que posa, «Ella per què m'amaria», aquest perill és ben palès.*

Exposats aquests vuit vicis, el tractadista encara dedica uns paràgrafs a un altre vici, que no anomena, però que, per l'explicació que en fa i que en fan els vells tractadistes (Regles, ms. H, 139 a 164; ms. R, 54 a 80), és el que els de l'Escola tolosana en diran rim o mot tornat, *i això faci's en qualsevulla composició que es faci, sigui cançó, sigui tensó o cobla esparsa. El vici consisteix a repetir la mateixa paraula en el mateix sentit i en la mateixa categoria gramatical en cap de rima.*

Les colors de retòrica, *que jo he traduït per* ornaments *per referència a l'*ornatus *dels gramàtics, són, també en nombre de vuit, els següents:*

Leonismitat o, *potser diríem avui,* lleonismitat *és l'abundor de sons en rima. Per Berenguer d'Anoia només cal que*

---

63. Els gramàtics llatins en detectaven d'altres, d'aquestes al·literacions cacofòniques. El text al·ludit per Ciceró (n. 43) denuncia la repetició de la *f* en aquest vers: *Qua pontus Helles, supera Tmolum ac Tauricos / fines, frugifera et efferta arua Asiae tenet*; solien comprendre aquest vici sota la denominació comuna d'*homoeprophoron,* i citaven, com a text paradigmàtic del vici, un vers d'Enni: *O Tite, tute Tati tibi tanta tyranne tulisti*; denunciaven també la repetició de *K* i tenien denominacions específiques per determinades insistències: *mytacismus* o *motacismus,* de M. *labdacismus* o *lambdacismus,* de L, *polisigma,* de S, *iotacismus,* de iot; el vici era definit com a «assiduitas in odium» (LAUSBERG, 974). (Els escriptors dels darrers temps han caigut sovint en aquest vici; probablement perquè, a l'ombra de l'actual revivalla del més superficial dels formalismes i emportats per una lectura mal païda dels lingüistes germànics i anglosaxons, han volgut provar d'escriure textos al·literatius; però títols com *Falles folles fetes foc, La fi del fil, Cada dia que calles* o *L'endemà de mai* són purament cacofònics o viciats en el sentit que ho entén i ho exposa B. d'A., és a dir, per dificultat d'enteniment, perquè no són pròpies al·literacions, si no és que les intentem salvar per la via de l'humor.) Com a bona, és esmentada la repetició de la consonant inicial en paraules seguides: *paròmeon* (*Etym.* I, 36, 14).

hi hagi dues síllabes en rima, és a dir, que es doni el que
en l'art poètica d'avui anomenam rima consonant femenina.
No és terme usat pels antics tractadistes ni el registren els
nostres lexicògrafs; [64] tampoc no és, naturalment, en els gra-
màtics i retòrics llatins, que no s'interessaven per qüestions
de rima. Apareix a les Leys d'amor (II, 99) i la recullen Joan
de Castellnou (Compendi, p. 74 i 75) i Lluís d'Averçó (Tor-
cimany, II, p. 16 a 27), aquest amb molta enriquidora minú-
cia. La preceptiva francesa ha recollit, en certa manera,
aquesta exigència de rima.[65]

Anadiplosi, definida per sant Isidor entre els schemata o
eloquium figurae (Etym., I, 36-7), és acabar un vers amb
una paraula i començar el que segueix amb la mateixa pa-
raula. De l'ús d'aquest ornament en resulten les que la re-
tòrica posterior (Flors, Leys, etc.) en dirà cobles capfinides
i, segons Berenguer d'Anoia, també les sextines, per l'exem-
ple que posa d'Arnau Daniel.[66]

64. Excepció feta de J. Coromines a la part inèdita del seu DECLC,
s. v. lleoní, on parla de vers lleoní o rima lleonina, expressió que apa-
reix en un sermó de sant Vicent Ferrer, de lleonisme, terme que usa
Guillem de Cervera en un dels seus proverbis, i de lleonismitat, amb
les oportunes referències a Jaume March i Lluís d'Averçó. Segons
Erdmann, Leonitas (cit. per Dag NORBERG, Introduction à l'étude de
la versification latine médiévale, Almqvist et Wiksell, Stockholm [Up-
sala], 1958, cap. III, «Assonance, rime et allitération», p. 38 a 53) és
cap a l'any 1030 que es va començar a parlar de versus leonini, d'on
prové el terme de leonisme i el de leonismitat. Vegeu també Faral,
op. cit., p. 362, a uns vv. del Laborintus d'Evrard l'Allemand.
65. Musset, en un poema, L'Andalouse, fa rimar bruni i Amaëgui,
i comenta el seu editor: «L'andalouse au sein bruni s'appelait d'abord
la Marquesa d'Améoni. La rime était bonne; mais Alfred de Musset
la voulait mauvaise, pour faire la nique à Victor Hugo. Il remplaça
Améoni par Amaëgui. La rime devenait insuffisante. Il était content.»
(Alfred de MUSSET, Oeuvres complètes, nouvelle édition, revue et sui-
vie de notes par Edmond BIRÉ, Paris, Garnier, s.a. [1907?], I, p. 403.
66. També el Dant (De vulgare eloquentia, II, 10) posa la sextina
d'Arnaut Daniel com a exemple de la «diesi» o «volta» —diesim dici-
mus deductionem vergentem de una oda in aliam; hanc voltam voca-
mus, cum vulgus alloquimur, això és, 'anomenam diesi una frase que
torna d'una melodia a una altra; li deim volta quan parlam en vul-
gar'—, perquè és regla de la sextina proposada per Arnaut Daniel que

Agnominació, *pels gramàtics* annominatio o adnominatio *i també* paronomàsia *(així a* Etym., I, 36-12), *és l'ús en una composició de paraules exteriorment idèntiques o molt parescudes, «semblants de veu», però de significat diferent. El text primer que Berenguer d'Anoia retreu és perfectament exemplar:* amar *és 'estimar' en el primer vers i 'amarg' en el segon. (Ve a la memòria el joc de paraules que fa Tirant quan diu que el seu mal «és de mar» per dir «d'amar», joc que entén tot d'una l'eixerida Carmesina.[67]) Aquesta figura és objecte de molta atenció i d'especificació minuciosa per part dels retòrics, així llatins com romànics. Els de l'Escola tolosana recullen l'*agnominació *com una flor de la figura* paronomàsia *(Castellnou, p. 21)* o paranomàsia *(Torcimany, I, p. 292) i l'entenen com una referència d'algú o d'alguna cosa en diversos casos o també «quant hom parla de motas cauzas» (Castellnou, ibid.), i reserven el terme de* políptoton *per a la repetició freqüent d'una paraula, «no gardan orde dels cases» (Castellnou, p. 22).*

Gradasia, *que és l'ornament conegut pels gramàtics amb el nom de* gradatio o clímax; *així a sant Isidor:* Climax est gradatio, cum ab eo, quo sensus superior terminatur, inferior incipit, ac dehinc quasi per gradus dicendi ordo servatur (Etym., II, 21-4), *és a dir, que el* clímax *és una gradació, amb la qual allà on acaba l'oració primera, allà comença la següent, i d'aquesta manera se serva l'orde de la dicció com a per graons. La definició que en fa Berenguer d'Anoia coincideix amb la d'Averçó: «davallament de veu en veu o en forma o en raó» i «Gradació se fa... formant les diccions la una davallant de l'altra, ço es, la subsegüent davallant de la sua antecedent, per venir de la causa precedent, al terme final que se'n segueix» (Torcimany, I, p. 315); però l'exemple*

la darrera paraula de la primera estrofa sigui la darrera del primer vers de la segona, en un artifici que explicam suscintament en n. al passatge corresponent (l. 555) de la nostra versió al llenguatge actual.

67. Ed. M. de RIQUER (ed. Selecta, col. «Biblioteca Perenne», Barcelona, 1947), cap. CIX, p. 317.

que posa aquell no és gaire adequat; els d'Averçó s'avenen més amb els de sant Isidor. Castellnou no esmenta aquest ornament. Un exemple clàssic de gradació és el de Virgili *(Ecl. II, 63/5)*: torua laena lupum sequitur, lupus ipse capellam, / florentem cytisum sequitur lasciua capella...

La repetició *és coneguda per sant Isidor (Etym., I, 36-8 i 9) únicament com a* anàfora *i* epanàfora, *segons que la repetició del mot es faci només en cap de vers o també dins el vers; coincideix, així, si fa no fa, amb Castellnou (p. 19) i amb Averçó (p. 279 a 282), els quals, paral·lelament als termes isidorians, usen els d'*anàfora *i* repetició. *Berenguer d'Anoia no distingeix tan escrupolosament i parla d'un mot o més que es tornen posar «en començament de moltes clàusules», siguin o no inicials de vers, i en dóna uns exemples bons i explícits.*

La traducció *és entesa per Berenguer d'Anoia de manera diferent de com la defineixen Castellnou i Averçó: aquests l'entenen com una forma o una flor del* políptoton, *diferent de* l'agnominació *en què la repetició d'un mot en els diferents casos es fa, en aquesta, per l'orde de la declinació, mentre que en el* políptoton *i en la* traducció *aquest orde no és necessari (Castellnou, p. 18;* Torcimany, *p. 297). Els gramàtics també l'entenien així (Lausberg, 640 a 648 i esp. 647); però també a la manera del nostre tractadista, com la simple repetició d'un cos fonètic (Lausberg, 658 i 659). Les* Etimologies *defineixen el* políptoton —*no li donen cap altre nom*— *com les* variacions *dins una oració* cum diversis casibus *(Etym., I, 36-17).*

El *sinatisme o* smatisme, *correctament, sembla,* sinacrisme, *és un terme que no apareix en els retòrics de l'Escola de Tolosa ni el veig tampoc a les* Etimologies; *sembla que és un terme grec que no va passar a la retòrica llatina; el recull Quintilià com a sinònim de* congeries, 'amuntegament' *(Lausberg, 667), és una forma de la* geminatio *i Lausberg (655) l'anomena també «sinonímia geminadora»; els exemples llatins són amplificacions, reforçaments de l'expressivi-*

tat, cosa que ja s'avé amb el concepte del nostre tractadista.

L'anapolensi, epinalensi en l'Escola tolosana (Castellnou, 18; Torcimany, I, p. 282) i també als preceptivistes medievals (Faral, 107 i 168: epanalensis), epanalepsi a les Etimologies (I, 36-11) i en els gramàtics llatins, que conserven el terme en grec (Lausberg, 616/18), és la repetició d'un mot en començament i en final de vers, tot i que Berenguer d'Anoia en dóna un exemple on la repetició és en començament i final d'estrofa.

La doctrina retòrica de Berenguer d'Anoia acaba amb uns consells per més abelliment de les composicions, amb els quals defineix, segons sembla, les que més tard es diran coblas unissonans i coblas singulars.[68]

Després d'aquest estudi sumari de la retòrica de Berenguer d'Anoia, ens arriscam a establir les següents conclusions:

1.ª L'aprenentatge en Gramàtica i Retòrica, l'havia fet Berenguer d'Anoia en els autors llatins, i sobretot en les Etimologies isidorianes; el Mirall de trobar és un resum, un breviari, de tota aquella doctrina, que al llarg dels segles, des de l'escola siracusana fins a sant Isidor, i més envant encara, es complica d'una manera que sembla inimaginable.[69] Que el nostre tractadista bevia, fonamentalment, en les Etimologies, em sembla fora de dubte; que coneixia, a més, altres autors, crec que és també indubtable; ara, saber quins són aquests autors, si els coneixements de Berenguer d'Anoia anaven o no més enllà de Priscià, de Donat, de Quintilià, de Ciceró, dels autors, en suma, més anomenats o si era un especialista en la matèria, un mestre d'escola, com es proposa Palumbo,[70] això són coses que no podem assegurar sense haver fet un acurat estudi de tots els retòrics de la llatini-

68. RIQUER, Trovadores, I, p. 41.
69. Per una història general de la Retòrica des dels seus orígens m'ha resultat ben útil l'aide-mémoire de Roland Barthes, L'ancienne rhétorique, publicat a la revista «Communications», núm. 16 (Paris, Seuil, 1970), p. 172 a 229.
70. P, P. XVII.

tat medieval, cosa que, avui per avui, no estam en disposició de fer.

2.ª *Sembla també indiscutible que Berenguer d'Anoia no depèn dels retòrics de l'Escola de Tolosa. És ver que no fa esment de conèixer els tractadistes que l'han precedit —Ramon Vidal de Besalú, Jofre de Foixà i els altres—, però el Mirall certament completa aquells tractats, mentre que no seria més que un resum molt minso de les doctrines de Guilhem Molinier o del seu trascolador al català Lluís d'Averçó. L'esperit que mou el Mirall i el que dicta les Leys d'amor són tan diferents, en conceptes i terminologia —no obstant les lògiques coincidències, és clar—, que m'atreviria a dir que si l'obra de Molinier va tenir una bona difusió per les terres catalanes i això cap al 1340, no em sembla gens dubtós que Berenguer d'Anoia no les hagués conegudes mai en la seva vida.*

Els arguments de P[71] em semblen una mica febles. Si el Ms. és provadament de finals del segle XIV i és una còpia ja molt deteriorada de l'original, cal suposar que queda un tros lluny de l'època de composició del tractat; si, a més, admetem que les Leys d'amor eren prou conegudes a les terres catalanes, donada la concorrença dels poetes catalans als certàmens de Tolosa i si hem demostrat suficientment que B. d'A. no coneixia les poètiques tolosanes, bé podem concloure que el Mirall havia d'esser compost abans del 1340, quan la plena recepció a Catalunya d'aquella preceptiva és testificada per l'obra de Joan de Castellnou; però també podem pensar que un entès, un afeccionat, un connaisseur com era B. d'A. no necessitava aquesta tardana recepció per tenir notícia de la moda que es llançava des de Tolosa. (La

71. P conjectura com a possible termini *a quo* l'any de les Vespres sicilianes (1282), per la menció que B. d'A. fa de l'illa de Sanno, o bé l'any 1285, que és un any especialment fecund en esdeveniments entre la Casa de Mallorca i els reis d'Aragó, aliada aquella amb el rei de França, per l'exemple que posa de «los franceses volen fer aytal ardit» (254).

Mallorca medieval estava molt més ben comunicada cultu-
ralment que la Mallorca del nostre segle.) Ho dic perquè no
sé trobar cap fet que motivàs la redacció del Mirall *si no és*
el revival *de la poesia dels trobadors proposat pel Consis-*
tori de Tolosa; B. d'A. podia no conèixer les Leys *i tenir,*
però, notícia d'aquella moda, com he dit. Això ens du, doncs,
a concloure que el Mirall *de trobar degué esser compost i*
redactat dins el primer terç del segle XIV; B. d'A. devia esser
un home tombant ja cap a la vellesa, si el suposam nascut
cap a la meitat, un poc més ençà, de la centúria anterior:
com el cèlebre Gonzalo de Berceo, es cansava d'escriure i li
entrava desgana de perfilar el final del seu tractat, com aquell
va deixar —tan pulcre i humilment formalista com era— sen-
se arrodonir la seva Vida de santa Oria. *Si no és que, com*
hem apuntat abans, hagués deixat la feina d'acabar el Mirall
a un altre, un deixeble, si els tenia, o un home de confiança
atret per les mateixes afeccions literàries que l'atreien a ell.

Els exemples didàctics i les citacions de trobadors

El tractat de Berenguer d'Anoia retreu uns exemples per
illustrar i fer més entenent la seva doctrina, d'acord amb
un mètode ben conegut i vigent encara ara. Aquests exem-
ples són unes frases breus, unes paraules, retretes amb fina-
litats purament didàctiques; però van sovint acompanyats
de textos literaris, això és, de fragments de composicions
conegudes —tret d'unes poques excepcions—, pertanyents a
la poesia trobadoresca. Els exemples didàctics són, probable-
ment, invenció del tractadista, i si qualcun no ho fos, no hem
sabut trobar d'on procedia.

Aquests exemples i citacions de textos són els següents:

A. Per les figures del metaplasme:
1. Aquell hom sembla aytal hom / Aquell hom resembla
aytal hom *i* Aytal cavaller torna en aytal alberch / Aytal ca-

valler retorna en aytal alberch, *per il·lustrar la figura de la pròtesi, que ho és, a més, amb dues cançons de Guerau de Bornelh.*

2. Aquell home ajusta diners motz / Aquell home justa motz diners *i* Acompanyats aquest home / Companyats aquell home, *per la figura de l'afèresi, il·lustrada també, a més, amb dues cançons de Guerau de Bornelh.*

3. Emperador / Empereador *i* Aquell cavaller borna bé / Aquell cavaller boforna bé, *per la figura de l'epèntesi, il·lustrada, a més, amb dues cançons de Gaucelm Faidit.*

4. Ociosetat / Ocietat *i* Cavaller / Caver, *per la figura de la síncopa, il·lustrada, a més, amb una cançó de Folquet de Marselha i una de Raimon de Miraval.*

5. Senyor / Senyore, Perer / Perera *i* Server / Servera, *per la figura de la paragoge, il·lustrada, a més, amb una cançó de Folquet de Marselha i una de Pèire Vidal.*

6. Los franceses volen fer aytal ardit / Li francès volen fer aytal ardit *i* Peyre / Peyr, *per la figura de l'apòcope il·lustrada, a més, amb dues cançons de Guerau de Bornelh.*

7 Leva leva *i* Ve ve, *per la figura de l'episceu (epizeuxis), il·lustrada, a més, amb una cançó d'Aimerich de Peguilhan i una altra de Pèire Vidal.*

8. Cornella blanca *o* fort sotz bo dit a un àvol hom, *per la figura de l'antífrasi, il·lustrada, a més, amb l'esment d'una cançó de Guerau de Bornelh i amb una de Guilhem de Sant Leidier.*

B. Pels vicis que són esquivadors en l'art de trobar:

9 Càvaller *per* Cavaller *o* donà *per* dona, *en el vici del barbarisme.*

10. Dona blanc *per* dona blanca *o* Bella és lo cavaller *per* bell és lo cavaller, *en el vici del solecisme.*

11. Jo he vist ab mos ulls aytal cosa *o* Amb la mia boca ho dix jo això, *en el vici del pleonasme.*

12. En aytal terra mengen los cans per fam *o* Lo pa menja·l ca, *en el vici de l'amfibòlia, que s'il·lustra, encara,*

amb una cançó de Peirol i una altra de Bernart de Ventadorn.

13. En mi mateix fiu aytal cosa, *en el vici de la tautologia, illustrat, a més, amb una cançó de Raimon de Miraval i amb una altra d'Aimerich de Peguilhan.*

14. Temor de treball *més propi que no* jo esper treballs o Aquell hom tot quant diu se menja, *en el vici de l'assirologia, que s'illustra, a més, amb una cançó de Folquet de Marselha i amb una altra d'Aimerich de Peguilhan.*

15. Dona amada o La dona atrobada, *en el vici de l'hiat, illustrat, a més, amb una cançó de Peirol i una de Bernart de Ventadorn.*

16. Amarem al cavaller o Trop am a la dona, *en el vici del metacisme, que s'illustra, a més, amb una cançó de Guerau de Bornelh i una altra d'Aimerich de Peguilhan.*

C. *Pels ornaments o colors de Retòrica:*

17. Amistança, honrança, benanança, malenança, *per la lleonismitat.*

18. L'anadiplosi *només s'illustra amb sengles cançons de Guilhem de Sant Leidier i d'Arnaut Daniel.*

19. Dona cant pusch amar que·l cor n'e amar, *per l'agnominació, illustrada, a més, amb una cançó d'Arnaut Daniel.*

20. La gradasia, *que només s'illustra amb una cançó de Guilhem Ademar.*

21. La repetició, *només illustrada també amb una cançó d'Aimerich de Peguilhan i una altra de Raimbaut de Vaqueiràs.*

22. La traducció *només s'illustra amb una breu cobla anònima.*

23. El sinacrisme *s'illustra únicament amb una cançó de Pèire Cardona.*

24. L'anapolensi, *finalment, també illustrada ñomés amb una composició anònima.*

Aquesta relació ens fa veure la simetria del tractat: vuit figures del metaplasme, vuit vicis i vuit ornaments retòrics,

tot ordenat dins les tres darreres parts de les quatre que té
el tractat, perquè, encara que en l'índex preliminar ens digui
que és ordenat en cinc parts, en la continuació del verset,
també en vers, on exposa el pla del tractat, diu ben expres-
sament E ayso en iiij^e parts / Se partra segons l'art (vv.
115 i 116), i quan comença pròpiament el Mirall en prosa
diu també ben clarament: La primeyra part es del alphabet,
i continua: la segona del metaplasme, la tercera dels vicis
i la quarta dels colors de retòrica; de manera que el nom-
bre de la composició numèrica, voluntàriament simbòlic o
no, del tractat de Berenguer d'Anoia, és el vuit, tal com in-
sistim més endavant.

Aquesta simetria semblava que seria accentuada encara
per l'aportació d'exemples i citacions. En efecte: en l'expli-
cació de les figures del metaplasme, hi ha dos exemples i
dues citacions de trobadors per cada figura. Però la regulari-
tat aviat es trenca: els tres vicis primers només són illus-
trats amb exemples, no amb citacions, que potser no es tro-
barien pel barbarisme i pel solecisme, però sí segurament
pel pleonasme; els altres s'illustren amb dos exemples —tret
de la tautologia, que només en du un— i dues citacions cada
un; quant als ornaments, només el primer, la lleonismitat,
és illustrat amb un exemple; tots els altres ho són única-
ment amb citacions, que manquen del tot, en canvi, i expli-
cablement —ja diu que «no us hi cal allegar actor, que cas-
cú ho coneix molt bé» (594/595)—, en aquest primer; però,
això és: d'aquests set ornaments restants, només l'anadiplo-
si i la repetició s'illustren amb les dues citacions habituals
de trobadors coneguts (deixant ara de banda si l'atribució
de les cançons corresponents és o no és correcta); la gra-
dasia i el sinacrisme només en duen una, de citació, però
de trobador anomenat; l'agnominació en té dues —suposant
que la primera sigui part d'una cançó—, però anònima l'una
i l'altra atribuïda a Arnaut Daniel, i aquesta coneguda no-
més per aquest esment i, d'altra banda, de molt difícil com-
prensió; i la traducció i l'anapolensi són illustrades amb sen-

gles citacions anònimes. Així és que, a la part del tractat on podíem esperar més citacions d'autors, retrets per un tractadista de l'art de trobar, que havia d'esser un bon coneixedor dels trobadors, lògicament, i degustador en especial dels seus recursos estètics, és on en trobam menys: set, en total, d'autor anomenat i tres d'anònimes, quan n'havíem esperades catorze, ja que no setze. No crec que ens llegui pensar que Berenguer d'Anoia era un maldient dels trobadors, que només els sabia veure els vicis, amb una duresa —que nota, per cert, P, p. XVI— més pròpia, diríem, dels crítics actuals; més lícit, tot i que més hipotètic potser, ens sembla suposar un apressament en la conclusió del tractat o que Berenguer d'Anoia el deixàs inconclòs i transferís la feina d'acabar-lo a un altre, fos deixeble seu o company d'afeccions literàries, que, però, no en sabia tant com ell. En tot cas, la sola cosa que voldríem assenyalar és aquesta: la voluntat de simetria que el tractat mostra de bon començament i que es va perdent així que avança.

Dels exemples proposats per Berenguer d'Anoia, els uns són encertats i els altres no ho són tant, com comentam oportunament en les notes a la nostra versió al català modern. De les citacions de trobador, n'hi ha d'equivocades pel que fa a l'autoria; n'hi ha d'anònimes, que potser cal atribuir al mateix Berenguer d'Anoia, i n'hi ha qualcuna que, no obstant que consta com a d'autor conegut, no ha estat identificada. Totes estan defectuosament transcrites. Aquest punt ha estat especialment estudiat per Palumbo en les pàgines introductòries a la seva edició (p. XXIII a XXXII), el qual pensa que aquests greus errors en les citacions de trobadors «siano da attribuire quasi esclusivamente al copista (o, più probabilmente, ai copisti)» de l'original del Mirall. No insistirem gaire, doncs, en el tema, sobretot tenint en compte la conclusió de P: «L'esame di tali citazioni non conduce, infatti, ad alcun risultato positivo» (p. XXVII, n. 81). P, a través del seu examen, es volia contestar la pregunta: «¿Di quale canzoniere si serví Berenguer per le sue citazioni?» Calia, tanmateix, subsanar aquests errors del Ms., i donam, adequadament comentada, la versió i l'atribució certes, segons els editors moderns, de les citacions respectives en la nostra versió al català d'avui.

Aquí direm només que, d'aquestes citacions, n'hi ha, això és: set, i la menció d'una cançó que no es transcriu, de Guerau de Bornelh, dues de Gaucelm Faidit, tres de Folquet de Marselha, dues de Raimon de Miraval, dues de Pèire Vidal, cinc d'Aimeric de Peguilhan, dues de Guilhem de Sant Leidier, dues de Peirol, dues de Bernart de Ventadorn, dues d'Arnaut Daniel, una de Guilhem Ademar, una de Raimbaut de Vaqueiràs, una de Pèire Cardenal i dues, o tres, d'anònimes, que fa un total de trenta-quatre, o trenta-cinc, citacions, totes, llevat de les anònimes, atribuïdes a tretze trobadors coneguts. Però amb la salvetat que:

a) La cançó atribuïda a Gaucelm Faidit en la figura de l'epèntesi és d'Elias de Barjols, trobador no esmentat per Berenguer.

b) La cançó atribuïda a Guilhem de Sant Leidier en la figura de l'antifrasi és de Raimbaut d'Aurenga, que Berenguer tampoc no esmenta.

c) La cançó atribuïda a Peirol en el vici de l'amfibòlia és en realitat d'Izarn Rizol, tampoc no esmentat per Berenguer.

d) La cançó també atribuïda a Peirol en el vici de l'hiat és de Bernart de Ventadorn.

e) La cançó atribuïda a Riambaut de Vaqueiràs en l'ornament de la repetició és de Raimbaut d'Aurenga.

f) Finalment, G. Assemar i P. Cardona, retrets, amb sengles citacions, en els ornaments de la repetició i del sinacrisme, són respectivament Guilhem Ademar i Pèire Cardenal.

D'una altra banda, hi ha dues citacions que només són conegudes per aquest text, que són:

g) La graciosa cobla quarta (segons el text) de la cançó Pus que d'amor no·m pusch deffendre, que el tractadista atribueix a Pèire Vidal; sobre la qual, vegeu la nota a les ls. 352 i 354 a 357 de la nostra versió al català actual.

h) El fragment d'una cançó atribuïda a Arnaut Daniel, que en el tractat il·lustra l'ornament de l'agnominació; sobre la qual també vegeu la nostra versió al català modern, n. a les ls. 619 a 623.

Finalment hi ha dues, o tres, citacions anònimes:

i) Els dos versos que il·lustren, juntament amb el difícil fragment d'Arnaut Daniel, l'agnominació.[72]

k) La regonexença que serveix d'exemple a l'ornament de la traducció.

l) I la gayta que il·lustra l'anapolensi.

La primera poden ser dos versos improvisats per fornir un exemple a l'ornament; les altres dues, tant poden esser fragments de composicions més llargues, com també improvisacions didàctiques de Berenguer d'Anoia, que hauria pres, així, una resolució adoptada més tard pels tractadistes tolosans. (Tot això sense comptar amb la hipòtesi que el tractat fos conclòs per un altre que no era Berenguer d'Anoia.)

De tot el que exposam en aquest apartat cal inferir que Berenguer d'Anoia havia d'esser un bon coneixedor de la poesia dels trobadors i que tenia el gust propi de l'època: els versos del Dant, tan sovint recordats, en elogi d'Arnaut Daniel,

> ...fu miglior fabro del parlar materno.
> ....
> ....e lascia dir li stolti
> che quel di Lemosì credon ch'avanzi,[73]

demostren, justament, que el gust general estava per «quel di Lemosì», això és, per Guerau de Bornelh; «e non possono

72. Segons P, p. 35, n., són dos versos anònims, atribuïbles a B. d'A.

73. Purg., XXVI, 117 a 119. L'elogi és posat pel poeta en boca de Guido Guinizelli, un dels mestres i capdavanters de l'escola poètica batejada pel mateix Dant amb el nom de dolce stil novo (Purg., XXIV, 57).

certo stupire i numerosi riferimenti a Guiraut de Borneill», comenta P (p. XXVII); però mo m'avénc a acceptar que els autors citats per Berenguer d'Anoia siguin «quelli più noti nell'ambiente della decadenza della lirica trobadorica», com també diu P (ibid.): tret de Pèire Cardenal, que no és documentat, com a data més antiga, fins el 1205, tots els altres escriuen dins el segle XII o entre el XII i el XIII, és a dir, abans de les gramàtiques i de les preceptives —i pens en les Razos de Ramon Vidal, escrites probablement a principis del segle XIII—, que podrien determinar la línia cronològica, sempre molt vaga, entre la bona època i la que es té per època declinant de la cultura dels trobadors, si no és que la vulguem fixar simbòlicament en la data històrico-política de la batalla de Muret, el 1214. Certament, però, que coneixia uns trobadors millor que els altres, i entre els qui, segons sembla, coneixia poc o malament hi ha dues grans figures de la lírica trobadoresca: Bernart de Ventadorn i Arnaut Daniel; i aquell només és retret com a exemple dels vicis que cal evitar.

¿Com coneixia un lector mallorquí del segle XIV tots aquests trobadors? O, com es demana Palumbo, ¿de quin cançoner o cançoners es va servir Berenguer d'Anoia per les seves citacions? Per poc que acceptem —vull dir, amb tantes reserves com calgui— la data de composició del tractat, dins la primera meitat del segle XIV, resulta que Berenguer d'Anoia va viure sota el regnat de la Casa de Mallorca, inclòs i tot, potser, el temps del Conqueridor, i no podem acceptar sense puntualitzacions i matisos les paraules de P: «Maiorca non era certo un centro di cultura come Barcellona; ma non è nemmeno possibile pensare che fosse un ambiente culturale chiuso agli influssi della madrepatria.» Confessam que l'expressió «mare pàtria» aplicada als temps medievals ens sembla un punt anacrònica. D'altra banda, la cultura que informa i reflecteix el Mirall no és la de la cort o dels cercles il·lustrats de Barcelona, sinó en tant que, culturalment, aquests feien part del món occità. Tractant-se, a

4.

més, d'un mallorquí, això és, del vassall d'uns reis que tenien dominis d'occità —concretament, de llenguadocià: a Montpeller i al Carlat—, no cal pensar que el material de cultura o literari de la seva formació intel·lectual, precís per la confecció d'un tractat de Retòrica i Preceptiva, així com el coneixement directe dels trobadors, li hagués de venir per la via de Barcelona. Curiosament, en una matèria afí i dins una època no gaire més avançada que la del Mirall —finals del segle XIV, principis del XV—, trobam que Mallorca és la terra de parla catalana on hi ha, o es conserva, més abundor de literatura artúrica,[74] i La Faula de Guillem de Torrella suposa un notable alt nivell cultural —coneixement in extenso de la matèria de Bretanya, domini de l'occità i del francès literaris— d'aquest autor. Així doncs, que un mallorquí d'Inca, vassall dels reis de Mallorca i senyors de Montpeller, tengués fàcil accés a un o a diversos cançoners de trobadors, no ens pot estranyar ni mica.

Les citacions que Berenguer d'Anoia fa dels diversos trobadors són totes, segons l'estudi de P, al cançoner designat pels romanistes amb la lletra C, tret de la cançó d'Aimeric de Peguilhan, Xantar vull..., citada com a exemple del vici del metacisme, que només figura en el cançoner c. El primer d'aquests dos cançoners, C, avui a la Bibliothèque Nationale de París —amb la referència ms. fr. 856— va esser copiat a Narbona en el segle XIV; el segon, c, avui a la Biblioteca Laurenziana de Florència —pl. XV infer., cod. 26— ho va esser a Itàlia en el segle XV. D'acord els paleògrafs que la sola còpia antiga del Mirall és de finals del segle XIV, només hi ha aquesta hipòtesi possible: Berenguer d'Anoia es va valer, potser entre d'altres, d'un cançoner, avui perdut,

74. Començant per la versió de La Questa del Graal, sencera (ed. V. CRESCINI i V. TODESCO, Barcelona, I.E.C., 1917); i vegeu P. BOHIGAS, La matière de Bretagne en Catalogne, «Bulletin bibliographique de la Société Internationale Arthurienne», XII (1961), p. 81 a 98 (en català al recull de l'autor Aportació a l'estudi de la literatura catalana, Publicacions de l'Abadia de Montserrat, 1982, p. 277 a 294).

del qual possiblement depèn C *o d'alguna manera s'hi devia relacionar (P, p. XXIX) i que, a més de l'esmentada cançó d'Aimeric de Peguilhan, per ventura també contenia la cançó de Pèire Vidal i la d'Arnaut Daniel que només coneixem per la menció fragmentària que en fa el* Mirall.

DESCRIPCIÓ DEL TRACTAT

El verset

A l'índex, on, just darrera la breu introducció en prosa, relaciona les diferents parts del tractat, Berenguer d'Anoia ens diu que la primera part és destinada al verset, i ens ho repeteix al final del tractat (ls. 586 a 589), quan diu: «Doncs havem, d'aquest petit escrit, la primera part, del verset, qui es mena en son rim dins quatre síŀlabes, de les quals són dues constretes: sots les primeres lletres del començament d'aquell nomna qui el féu, e a les darreres lletres del rim anomena d'on fo». *En efecte, abans del tractat propi, redactat en prosa, hi ha, en el* Ms., 145 *versos, dels quals els 82 primers són de quatre síŀlabes i no sembla que s'ajustin a cap rima, mentre que la resta són hexasíŀlabs i rimen en apariats, a la manera dels poemes narratius i d'intenció didàctica de Ramon Vidal de Besalú, composicions que l'Escola de Tolosa batejarà amb el nom de* noves rimades *i gaudiran d'un cultiu més tost abundant entre els poetes catalans dels segles XIV i XV.*

El vers, *pels trobadors antics (Guilhem d'Aquitània, Marcabrú, Bernart de Ventadorn), designava, com* chantar *i* chant, *una composició en general, sense consideració a particulars característiques de forma ni de contingut, tal com ens ho adverteix una de les vides de Marcabrú:* «Et en aqel temps non appellava hom cansson, mas tot qant hom cantava eron vers». *Però els trobadors dels darrers temps utilitzaren el terme per denominació d'un gènere més específic,*

51

diferent de la canço, *que havia d'esser de tema exclusivament amorós, i del* sirventès, *d'intenció política, i, així, el* vers *designava una composició de contengut religiós, moral o didàctic, o, més exactament i en general, de bona doctrina: és el «vers vertadier» de Guilhem Ademar i de Pèire Cardenal; això és, la composició que conté veritat, perquè li suposen, com ja hem dit, un ètim* VERUS *en lloc del propi* VERSSUS; [75] *amb aquest sentit específic, el nom de* vers *va passar a l'Escola tolosana. Berenguer d'Anoia no l'usa, segons sembla, en l'accepció restringida que li donarien els tractadistes tolosans, ja que amb el nom de* verset *només al·ludeix —segons el text que hem retret del final del tractat— als 82 primers versos d'aquesta curiosa introducció, però no als 63 hexasíl·labs que segueixen, els quals podríem qualificar de poema didàctic, pel seu caràcter expositiu del contengut i pla ordenat del tractat en prosa que ve a continuació. Cal suposar que el diminutiu,* verset, *fa referència a l'escassa importància del tema i a les limitades intencions de qui el tracta —retent l'habitual tribut a la modèstia cortesa—, però també, i potser especialment, a la mètrica —versos breus, de quatre síl·labes— de què se serveix.*

Però la primera part d'aquesta composició en vers, inicial o prologal, tal com ve copiada en el Ms., a part que ofereix la singularitat, en la poesia antiga, de no esser rimada ni presentar, en aparença, cap relació d'analogia entre els versos, és del tot inintel·ligible. El professor István Frank —que és, darrera Bartsch i Pillet i Carstens, el tercer repertorista canònic de la poesia dels trobadors— va posar l'atenció en l'obreta del nostre preceptivista, i, en un treball publicat el 1955, Un message secret de Berenguer de Noya: le prologue du «Mirall de trobar»,[76] *va donar el resultat de les seves reflexions i del seu estudi.*

Els estudiosos de Berenguer d'Anoia —Milà i Fontanals,

75. Vegeu supra, p. 19 a 20 i n. 40; RIQUER, *Trovadores*, I, p. 49 a 52.
76. Vegeu *Bibliografia*.

Massó Torrents, J. Anglade— i el primer editor del Mirall
de trobar, *G. Llabrés, varen suposar que en les inicials de
cada vers del verset s'amagava el nom del poeta, cosa que
d'altra banda ell mateix ens adverteix en els vv. 60 i 61 del
Ms.:* «Si·us trobarets / Hon mon nom ve»; *o també en el
text ja esmentat del final del tractat en prosa. Tanmateix,
l'únic que va desxifrar del tot, o quasi del tot, l'endevinalla
va esser I. Frank.*

*El misteri és que els 82 primers vv. d'aquesta introduc-
ció al tractat contenen un doble acròstic, això és: si posam,
una darrera l'altra, les lletres inicials de cada v., trobam
que diuen* «Berenger d'Anoia·m dits hom. / Mon paire fo
asats prom»; *i si feim la mateixa operació amb cada lletra
final d'aquests mateixos vv., veurem que expliquen:* «En In-
cha fo mos naximens / E a Noia naschron mos parens».

*I. Frank explica acuradament els camins de la seva solu-
ció. Els 13 vv. primers del Ms. lliuren el secret amb facilitat:*
Berenger d Anoi a l'acròstic i En Incha fo mos na *al telèstic;
però després, els vv. 13 a 26 repeteixen* Berenger d Anqj i
també En Incha fo mos na; *segueix llavors la continuació
de l'acròstic (vv. 27 a 54):* a m dits oom mon pajre fo asats
prom, *i la del telèstic:* ximens e a Noia naschron mos pa-
rens; *així, igualment, al final (vv. 55 a 82):* a m dyts hhm
mon paire fe asats prom *i* ximens e a Noia naschron mos
parens.

*Així les coses, I. Frank va comprendre que havia d'orde-
nar, això és: vv. 1 a 13, a continuació vv. 27 a 54; llavors,
vv. 14 a 26 i seguit vv. 55 a 82. D'això resultava un doble
acròstic i un doble telèstic; però, si, en lloc d'ordenar-los en
una sola llarga columna de tetrasíllabs, els ordenàvem en
dues columnes encarades, descobríem una composició en oc-
tosíllabs rimats als hemistiquis i que, a més, el text, així,
feia algun sentit.*

*Hi havia encara algunes dificultats per determinar l'acròs-
tic, perquè el telèstic, curiosament, resultava impecable en
la doble lectura. No cal dir que l'ortografia medieval per-*

metia escriure g *en representació del so velar que avui orto-grafiam* ga, go, gu, gue, gui; *que el grup* ch *representa la velar* k, *que avui escrivim amb* c *davant* a, o, u *o davant líquida*, l *o* r, *seguida de vocal; que era permès d'interpretar* i, j i y *com a* i, *si molt convenia per aquests jocs de lletres i de mots.*

Al v. 25 el Ms. du, *clarament, una* Q *on, amb seguretat, hi ha d'haver una* O; *però suposar un error del copista és ben legítim, ja que la lectura* O ueyran gen *s'imposa sense dificultat. La* E *inicial del v. 73 també obstaculitza l'acròstic; I. Frank ho soluciona proposant una lectura* O venran gen, *que tradueix:* «auquel, en suivant cet ordre (On consiguen *del primer hemistiqui*), elles arriveront convenablement»; *P prefereix mantenir la lectura del Ms., esmenant només la* E *en* O; *aquesta* E *errònia és explicable pel v. 72: el copista no devia entendre res, però devia intuir que dos verbs,* fayts i veyran, *era més propi lligar-los amb una copulativa que no amb una disjuntiva, ja que es tractava d'una forma de l'imperatiu i una del futur.*

Frank, però, va topar amb la dificultat dels vv. 33 i 62 del Ms., que, al meu entendre, no va saber resoldre, com tampoc no la resolgué satisfactòriament P. Per obtenir l'a-cròstic, sense alterar el telèstic, que, com hem dit, resulta impecable, Frank recorre a la lectura forçada En letreta / E [...] e neta i *P* Ell no·y meta, *d'acord amb el Ms., però amb un* Ell *una mica violent. Així obtenen l'acròstic següent:*

> Berenger d'a (sic a Frank; P da) Noya m dits om,
> E mon paire fo asats prom.

Jo crec que la dificultat és més fàcilment solventable: al v. 33 del Ms. podem, sense forçar gaire les coses, afegir una H i llegir, *en el v. 61, en lloc de l'*Hom *del Ms.,* Hon, *i treure, en el v. 62, la* H *inicial, i així tendríem la lliçó coherent i entenent:* Hon sabrets be / Hon mon nom ve; On letreta / Om no y meta; *y obtendrem els dos* vv. *de l'acròstic així:*

> *Berenger d'Anoia·m dits hom;*
> *Mon paire fo asats prom.*

Quant a la diferència Anoia, *a l'acròstic, i* Noia, *al telès-tic, podem pensar que en el primer cas també sigui* Noia: *l'immediat anterior* da *pot esser interpretat com a «de», ja que la vocal representa un so neutre, que els antics transcri-vien sovint per* a *i no per* e, *en documents escrits per qualcú que pertanyés a la parla del català oriental. D'altra banda, tampoc no és estrany trobar en un mateix text dues o més formes diferents de la mateixa paraula, i en aquest que edi-tam això es dóna, per exemple, amb el nom del trobador* Aimerich de Peguilhan: *el rigor filològic que tot sovint ens obsedeix no era tan dur per la gent antiga, tot i que fossin preceptivistes.*

Fetes, doncs, les observacions pertinents, tenim aquesta estrofa composta de dos grups d'octosíllabs apariats:

> Berenger d'Anoia·m dits hom;
> Mon payre fo asats prom.
> En Incha fo mos naximens
> E a Noia naschron mos parens.

Que, en pla i ordenat llenguatge d'avui, vol dir: «Em diuen Berenguer d'Anoia; el meu pare va esser prou noble. A Inca va esser el meu naixement i a l'Anoia varen néixer els meus parents.» Interpret 'parens' com a «parents» o «família», sen-se l'amfibologia o vacillació expressada per M. de Riquer,[77] perquè em sembla més d'acord amb el sentit general del text: ja ha anomenat el seu pare i com que sigui lògic que lla-vors es refereixi a la família, a la procedència del seu lli-natge; sobretot després d'haver-nos fet a saber que el pare era 'asats prom', això és, d'una digna condició social, com a volent-nos dir que era de bona família; no exactament que pertanyés a la noblesa: cal suposar que si hagués estat fill de cavallers, ho hauria posat.

77. Riquer, *Literatura*, I, p. 194, n. 2.

Resta encara a considerar un problema de Mètrica. No podem creure que Berenguer d'Anoia escrivís versos coixos, concretament, hipomètrics. I, tanmateix, en el verset, segons una lectura actual de la llengua, són mancats d'una síllaba els següents: Bon exemple *(1) 14,* Gentil causa *i* Gent enclausa *6 i (6) 18,* In scritura *13,* On letreta *i* (H)om no y meta *(21) 34 i (21) 62. No hi ha inconvenient a donar una accentuació oxitònica, sense mancament de la rima, a tots els versos acabats en vocal de so neutre, pel fet d'esser àtona en una lectura normal del text; però el v. 13, acabat en -a àtona i, per tant, de so neutre, rima amb el (13) 25,* Ja non falra, *que és oxitònic per naturalesa i, per tant, la -a final hi sona amb el so propi i singular d'aquesta vocal. Potser això ens hauria d'inclinar a acceptar la lliçó de Frank i P,* Ins s'escriura, *tanmateix hipotètica; a favor meu hi ha el sentit que dóna el text, al meu entendre, i la lliçó, que em sembla indiscutible, del Ms., tot i que M coincideix (i també Llabrés, naturalment) amb aquells editors.*

El tractat

No em sembla gaire dubtós que quan Berenguer d'Anoia va decidir la composició del seu Mirall de trobar *es proposava ordenar-lo ben acuradament, fins al punt que exposa el seu pla d'ordenació, per endavant, en trenta-un apariats i un vers final solt; que llavors aquesta ordenació no fos tan regular i simètrica com ell havia previst, això és una altra cosa, perquè molt sovint unes són les intencions i unes altres les obres que se'n segueixen.*

En aquests seixanta hexasíllabs i busques, Berenguer d'Anoia ens diu que vol fer entendre en llenguatge pla i sense rima, o sigui, en prosa corrent, en «llenguatge cominal», que dirà més endavant, en la llengua del comú de la gent, què és l'alfabet, com va néixer, quines són les lletres vocals i quines les consonants, i, d'aquestes, quines són mudes, quines mig vocals, quines agudes, quines aspirants i quines n'hi ha que són traslladades directament del grec; per què serveixen totes i cadascuna. Després, com podem cedir al metaplasme, o servir-nos-en, a l'hora de compondre, i quines diccions prenen per naturalesa figura d'ell; llavors, com ens devem guardar dels vicis; i, finalment, quins són els ornaments permesos o prevists per la Retòrica. I tot això es repartirà en quatre parts, això és: l'alfabet, les figures del metaplasme, els vicis del trobar i els ornaments, o les colors, de Retòrica. Acaba dient que ordenar tot això el cansa, li és una càrrega, i, a més, que podria errar, i qualcú ja l'ha reprès; però que ho digui qui millor ho sàpiga, que ell no té cap pressa, que s'hi ha divertit i que s'ha alliberat de l'ociositat, enemiga de tota cosa bona. I així diu que deixa de rimar.

Aquesta ordenació en quatre parts, exposada en vers, es contradiu, però, amb l'índex inicial i amb el resum final: en aquests dos, les parts són cinc, perquè la primera part és ocupada pel verset. Això no obstant, crec que en el pensament i en la intenció de Berenguer d'Anoia, el Mirall tenia quatre parts i el verset —en sentit ample o estricte i juntament, aleshores, amb l'exposició rimada del pla del tractat— hi figurava a manera de pròleg, que divertia l'autor i els seus possibles amics lletraferits o deixebles i convidava, per simpàtica amenitat, a la lectura del Mirall.

La distribució dels escrits d'acord amb una composició numèrica, generalment simbòlica, relacionada amb els Evangelis, amb el Vell Testament o amb agrupacions ordenades per la Doctrina Cristiana o pertanyents a qualsevol branca del saber de l'època —els sentits corporals, les potències de l'ànima, les virtuts, els fruits o els dons de l'Esperit Sant, etc.—, és un hàbit medieval, i, a part l'exemple il·lustre de la Commedia de Dante Alighieri —sempre, certament, mal editada, perquè el cant I no fa part de l'Infern, sinó que és una introducció a tot el meravellós viatge ultraterrenal—,[78]

78. És, però, tradició dels romanistes citar la Commedia només per

57

a Mallorca tenim el de Ramon Llull, que va ordenar en composició numèrica la major part de les seves obres.[79] Doncs bé, Berenguer d'Anoia no solament distribueix el seu Mirall en quatre parts, sinó que a cada una d'aquestes parts hi estudia o hi exposa vuit conceptes. Això és:

1.ª part: de l'alfabet. En el vers expositiu ens anuncia que parlarà de l'alfabet i la seva naixença *(1)*, de les vocals *(2)*, de les consonants *(3)*, de les consonants mudes *(4)*, de les mig vocals *(5)*, de les agudes *(6)*, de les aspirades *(7)* i de les gregues *(8)*. Val a dir que això no es compleix del tot —no hi ha cap explicació sobre les consonants «aüdes»; fins al punt que no podem garantir la bona intelligència del terme: P es pregunta si no es deu referir a les sonores—, i, encara que poguéssim trobar vuit conceptes justs en el desenvolupament en prosa d'aquesta primera part, sabem que seria forçar les coses sense caler. En les parts que segueixen, però, la simetria és clara del tot.

2.ª part: del metaplasme. Vuit figures: la pròtesi i l'afèresi *(1 i 2)*, l'epèntesi i la síncopa *(3 i 4)*, la paragoge i l'apòcope *(5 i 6)*, l'epizeuxis *(7)* i l'antífrasi *(8)*.

3.ª part: dels vicis. Vuit vicis: el barbarisme *(1)*, el solecisme *(2)*, el pleonasme *(3)*, l'amfibòlia *(4)*, la tautologia *(5)*, l'assirologia *(6)*, l'hiat *(7)* i el metacisme *(8)*; aquests dos últims, qualificats de solters, com les dues darreres figures del metaplasme.

4.ª part: ornaments o colors de Retòrica. També són vuit: la leonismitat *(1)*, l'anadiplosi *(2)*, l'agnominació *(3)*, la gra-

---

tres parts: *Inf., Purg., Par.*, i donar per inclòs en la primera el cant I; però m'explica el meu amic, el professor Dino Pastine, que també és tradició de les escoles italianes que el mestre expliqui aquesta anomalia editorial i fixi en el número de 100 els cants del poema, distribuïts en 3 parts de 33 cants cada una, tot precedit d'un primer cant introduceori i acabada cada una de les tres parts amb la paraula *stelle.*

79. Basti recordar la complicada composició numèrica del *Llibre de contemplació*, on, en l'ordenació del llibre, són considerades 10 quantitats de valor simbòlic per la via de la devoció.

dasia (4), la repetició (5), la traducció (6), el sinacrisme (7) i l'anapolensi o epanalepsi (8).

Aquesta simetria és subratllada en els exemples de les figures del metaplasme: dos exemples de paraules o diccions i dos exemples de cançons per cada una de les figures. Aquesta regularitat, però, no es manté: els tres primers vicis duen per exemples dues diccions cada un, com també els altres cinc, però aquells van sense cançons; els altres, en canvi, en tornen dur cada un dues; en els ornaments, la simetria es perd del tot i fa comparició la irregularitat més anàrquica. Això per força ens ha de sorprendre: que un tractadista com Berenguer d'Anoia, que demostra un bon coneixement de la poesia dels trobadors, no pugui citar unes cançons per donar exemples de vicis, sembla explicable; però que no en pugui donar per les belleses de la Retòrica, no ens ho sabem explicar sinó per raó de deixadesa, perquè ja s'havia cansat del tractat —«Mas a mi es pessan / Que me carch tal affan», deia, i devia dir ver: no que solament es referís a la fatiga del rimar— i l'acabava aviat i de pressa, un poc de qualsevol manera, si no és que comanàs aquestes acaballes a algun amic o deixeble no tan competent com ell, com ja hem dit més amunt; no crec, però, que, en aquest punt, puguem revertir la culpa damunt el sempre maltractat copista.

En conclusió: es mantengui o no aquesta simetria al llarg de tot el tractat, em sembla que la voluntat d'una composició numèrica hi és; i és a propòsit d'aquesta ordenació que m'abelleix dir que en el món de la simbologia dels números, el vuit correspon a la reconciliació del Cel i la Terra [80] —The Marriage of Heaven and Hell, en un títol del poeta anglès William Blake—, en base de la història bíblica de Noè, que, passat el Diluvi, va esser el vuitè a sortir de l'arca, com és

80. Vegeu A. LUNEAU, L'histoire du salut chez les Pères de l'Eglise, cit. per M.-M. DAVY dins Dictionnaire des symboles, Paris, Seghers, vol. III, p. 40; també V. F. HOPPER, Medieval number symbolism, New York, 1969, 1938, p. 98.

recordat en uns versos del poema llatí del segle XII Liber
Maiorichinus *que diuen:*

> *Unde cessarunt: octauus prodit ab archa,*
> *tunc solus iustus,*

això és: «Les ones (del Diluvi) mancabaren: el vuitè a sor-
tir de l'arca va esser ell, l'únic just aleshores.» *Retrec això
a títol de pura curiositat; no em sorprendria gens, però, que
Berenguer d'Anoia conegués la simbologia dels números, com
un altre mallorquí de no gaire més temps endavant, fra An-
selm Turmeda, sabia cosa del poder màgic de les estàtues
de plom, per tal com hi al·ludeix al seu bell poema de les*
Cobles de la divisió del regne de Mallorques. *No cal dir que
la recerca d'aquests tipus de fonts en l'obra dels nostres
autors antics és poc habitual, i, per això mateix, i pel mal
coneixement que d'elles en tenim, exposada a nombrosos er-
rors i a confusió.*

LES EDICIONS

Edicions publicades

Tot i haver-se interessat pel Mirall de trobar, *o haver-ne
parlat amb més o menys extensió, diversos romanistes —P.
Meyer, J. Anglade, Milà i Fontanals— i tot i que les notícies
que en teníem eren de temps antics, el tractadet de Beren-
guer d'Anoia no va trobar editor fins que el professor Ga-
briel Llabrés i Quintana va donar la seva edició, del tot en-
llestida, a la impremta, d'on va eixir a la llum pública l'any
1909. En donam la fitxa bibliogràfica* in extenso:

Poéticas catalanas / *d'en* / Berenguer de Noya / y / Fran-
cesch de Olesa. / *Ara novament estampades per* / En Ga-
briel Llabrés y Quintana. / Barcelona / Llibreria de Verda-
guer / Rambla, 5 // Palma de Mallorca / Amengual y Mun-

taner / Cadena, 1. [*XXIV + 104 pgs. (El* Mirall de trobar *ocupa des de la p. 1 a la 40.) Format: 11 × 17 cms. A dalt de la coberta i de la portadella posa:*] Biblioteca —sigle *XIV—* catalana [*; i a una contraportada:*] Collecció de poé*ticas catalanas.*

I. *Frank qualifica aquesta edició de «modeste» i P de «nient'affatto acurata»; tots dos convenen en que se'n va fer un tiratge reduït i que rarament se'n troba avui un exemplar, fins i tot en les biblioteques públiques; jo n'he vists a la Biblioteca de Catalunya, a la Biblioteca «Bartomeu March» de Mallorca, i he treballat sobre el que, amb la seva habitual i generosa amabilitat, m'ha deixat el meu col·lega i amic Josep Maria Pujol: un exemplar numerat, certament, cosa que fa prova del curt tiratge de l'edició.*

Ponderem, tanmateix, els judicis d'aquells romanistes. Per ventura sí, que l'edició és modesta: és de petit format i no presenta especials atractius bibliogràfics. Però fa una relació puntual dels autors que han donat notícia del tractat i dóna una transcripció correcta de l'únic manuscrit que l'editor coneixia. És doncs, discretament acurada i la seva consulta pot ajudar a la millor comprensió del Ms. trescentista.

És una edició feta sobre la còpia madrilenya (M) del Ms. antic, ordenada, probablement, com ja hem dit, pel marquès de la Romana, cap a finals del segle XVIII. El Ms. antic, quan don Gabriel Llabrés treballava en la seva edició del Mirall, figurava com a perdut i es pensaven que qui sap si l'haurien cremat,[81] amb la cremadissa de llibres i papers que varen fer al convent dels carmelitans de la Boqueria, de Barcelona, i havia desaparegut per a sempre. Don Gabriel Llabrés va començar a treballar sobre les poètiques de Berenguer d'Anoia i de Francesc d'Olesa el 1896, coincidint amb una època d'especial agitació material per causa dels successius trasllats a què l'obligava la seva condició de catedràtic de Geografia i Història, de tal manera que, entre l'any

81. P, p. VII; vegeu *supra*, p. 1.

1885 i el 1913, que es va assentar definitivament a Ciutat, va recórrer, de Maó a Càceres i de Càceres a Santander, una bona partida d'Instituts de segon ensenyament de l'Estat espanyol. Això suposava tot d'interrupcions en la seva feina.[82] *El 1906 va haver de veure, cal suposar que amb disgust, com el doctor Schädel, de la Universitat de Halle, relacionat amb els filòlegs catalans i especialment amb mossèn Antoni Maria Alcover, publicava una edició de la poètica de Francesc d'Olesa. Ell havia fet imprimir els primers plecs de la seva —relatius a Berenguer d'Anoia— a Maó; però ja havia fet arribar al doctor Morel-Fatio, el 1903, l'edició tota enllestida dels dos tractats mallorquins; inútilment, perquè el carter no va trobar l'il·lustre catalanòfil a ca seva i va retornar els papers tramesos. Tot això explica el professor Llabrés i Quintana en una breu nota proemial, un punt commovedora.*

Retrobat el Ms. medieval i finalment ingressat a la Biblioteca de Catalunya, va esser possible fer una edició del Mirall *de trobar, diguem-ne, canònica. També els mètodes per a l'edició de textos antics s'havien modernitzat, cal suposar que per bé, i amb aquest bagatge el professor Pietro Palumbo, de la Universitat de Palermo, va poder enllestir la seva. Això és:*

Berenguer de Noya / Mirall de trobar / A cura di P. Palumbo / U. Manfredi editore Palermo. [A dalt de la portada:] Università di Palermo - Instituto di Filologia Romanza / Collezione di Testi a cura di Ettore Li Gotti - N. 2 [Sense any; però és del 1955; XXXIII + 50 pgs.]

Aquesta edició transcriu el Ms. de la Biblioteca de Catalunya i no col·laciona la còpia de Madrid ni l'edició de Llabrés. A la Introduzione, *que ocupa 26 pàgines impreses, repartida en tres extensos paràgrafs, tracta:*

a) En el primer paràgraf, del Ms. antic, de la còpia M, de la promesa de P. Meyer, no atesa, de fer una edició del

---

82. MASSÓ, *Repertori*, p. 332, també al·ludeix a aquestes tristes vicissituds.

Mirall; de l'edició de Llabrés, que, diu expressament, no té en compte en el curs de la seva; del «missatge secret» del verset, que exposa i explica segons el treball d'I. Frank; de les formes Noya / Anoya, o Noia / Anoia, i de la seva presència en la toponímia i en la documentació amb una al·lusió a Inca i unes conjectures sobre l'establiment dels Noya a Mallorca —segons ell, «I Noya si stabilirono a Maiorca evidentemente in seguito alla spedizione catalana (1229-30)»—; de la versemblança que el Mirall fos escrit a Mallorca, i de l'ambient literari de la Mallorca d'aquell temps.

b) En el segon paràgraf, després de donar una nota bibliogràfica sobre la denominació de Mirall o Speculum en la literatura medieval, comença a descriure i a analitzar el contingut del tractat: adverteix com Berenguer d'Anoia distingeix entre ús i art, com fa referència sempre al pla lenguatge o ús cominal, com acusa de caure en vicis els trobadors de més anomenada, i diu llavors que el verset va dedicat als «entesos»; pensa que Berenguer d'Anoia pertany, pels seus coneixements gramaticals i retòrics, a la cultura de la llatinitat medieval; intenta fixar l'època de composició del Mirall i proposa un terme a quo, que és el de l'any 1282, el de les anomenades Vespres sicilianes; retreu després les notícies del marquès de Villena sobre les preceptives provençal-catalanes; suposa que el Mirall podria haver estat compost entre les Regles de J. de Foixà (1293-95) i els diversos estats de la redacció de les Leys d'amor (1328-56); afirma que l'esperit que anima el Mirall és del tot divers al que dictava les Leys, i, en prova, observa que els tolosans inventaven els exemples il·lustratius de la seva doctrina, mentre que Berenguer d'Anoia i els vells tractadistes els treien dels trobadors; dóna altres proves de la diferència entre aquestes dues retòriques o preceptives; compara finalment el Mirall amb tots els altres tractats, des de les Razos de R. Vidal de Besalú fins a l'Art nova de trobar de F. d'Olesa, per pronunciar-se a favor de la independència del tractat de Berenguer d'Anoia.

c) El tercer paràgraf, el dedica a l'estudi dels trobadors citats en el Mirall, dels cançoners on apareixen, per concloure que les seves observacions el condueixen a «l'attestazione della presenza, nelle regioni di lingua catalana, di altri canzonieri provenzali, oltre ai pochissimi que si sono pervenuti».

En una Nota final, després del text del Mirall *(p. 43 i 44)*, fa unes breus observacions lingüístiques: que en català, una era la llengua dels prosistes i una altra la dels poetes; i que «La parte in prosa del Mirall è più schiettamente catalana».

En l'establiment i la transcripció del text, s'atén a les normes seguides habitualment per a l'edició de textos antics: regularitza l'ús de i i j i de u i v i esmena el que li semblen errors del Ms., donant, però, la lliçó errònia en nota a peu de pàgina. Aquestes notes, i d'altres referides a diversos punts i aclariments filològics, abunden al llarg de l'edició. No cal dir que les hem tengudes en compte per a la nostra, com hi hem tengut tot el treball, íntegre, del professor Palumbo.

La nostra edició

L'edició de P. Palumbo n'excusava, sens dubte, una de nova. Però aquest tipus d'obres, tant si n'és l'autor el bon don Gabriel Llabrés com si ho és el més il·lustre dels filòlegs, solen esser de tiratge curt o, almenys, d'escassa i molt dificultosa difusió i conseqüent adquisició. (Jo he hagut de treballar en l'edició de P des d'una fotocòpia de l'exemplar existent a la Biblioteca de Catalunya.) Això tot sol ja basta per impel·lir-nos a publicar, no ja el Mirall de trobar de Berenguer d'Anoia, sinó totes aquelles obres encara inèdites o visibles només en edicions exhaurides i d'exemplars rars i difícils d'abastar, per donar-les a conèixer als nostres estudiants, que tenen l'obligació, tots ells, i alguns, a més, el desig de conèixer-les.

Així és, doncs, que la nostra edició va adreçada, primor-

*dialment, als estudiants de Literatura i Llengua catalanes;
això pot explicar la referència, en la introducció i en les no-
tes, a tot de punts que, en una edició destinada al pur en-
riquiment de l'erudició o de les publicacions d'antics textos
romànics, seria del tot inoportuna i sobrera. Aquestes, potser
del tot ingènues, intencions didàctiques ens han aconsellat
d'acompanyar el text antic d'una versió al català d'avui. Això,
però, ens permet de transcriure aquell quasi paleogràfica-
ment, això és, sense regularitzar, com és d'habitud, l'ús de
determinades lletres —i/j, u/v— ni esmenar les errades, per
evidents que siguin o semblin del Ms.*[83] *També això serveix,
al nostre entendre, la bona voluntat d'ensenyament: que l'es-
tudiant s'avesi a les irregularitats, al no-academicisme, a l'a-
normativisme, dels vells textos, i que sàpiga per on, com i
amb quines intencions han estat esmenats. D'altra banda,
tractant-se d'un manuscrit únic, tota possible interpretació
de qualque passatge dubtós ha d'esser sovint forçadament
conjectural. M, de vegades, ajuda, però cal reconèixer que
rarament i poc: és una còpia fidel d'un escrivent que de
segur no entenia el que copiava. Tanmateix, quan ha calgut,
però no sempre, hem col·lacionat M.*

*En la nostra introducció, a més de les habituals referèn-
cies al Ms. i a les descripcions de què ha estat objecte, al
contingut del còdex del qual fa part, a les notícies que ens
han arribat del Mirall, etc., hem intentat un estudi de la
terminologia usada per Berenguer d'Anoia referent a l'art
de trobar i a la poesia dels trobadors, així com dels, diguem,
tecnicismes de Retòrica que empra, cosa que ens permet su-
posar i suggerir, ja que no assegurar taxativament, la seva
filiació cultural: punt en el qual sembla que estam d'acord
amb el professor Palumbo, com també en la qüestió de la
independència del Mirall de trobar respecte dels tractats de*

83. Interpretam i respectam els signes de puntuació, però resolem
les abreviatures; quan hi ha discrepància amb P o que es presenti
qualsevol dubte, ho advertim a peu de página.

l'Escola de Tolosa, o, més exactament de la seva derivació catalana, la que Massó Torrents va anomenar Escola de Barcelona,[84] *i fins a un cert punt també respecte dels tractadistes més antics, de la bona època dels trobadors.*

No em resta sinó agrair al doctor Martí de Riquer la benvolença amb què ha escoltat les consultes que li he fetes i la possibilitat de servir-me d'alguns llibres de la seva biblioteca; al doctor Amadeu J. Soberanas, conservador de la secció de manuscrits de la Biblioteca de Catalunya, per les facilitats en la consulta directa del Ms. i pel material de feina que m'ha subministrat molt generosament; i, en fi, i com sempre, al meu bon amic, el professor de la nostra Facultat de Filosofia i Lletres de Tarragona, Josep Maria Pujol, que m'ha escoltat ben sovint i amb molta paciència per ajudar-me a resoldre els meus dubtes, resolts quan ha estat possible, i que ha tengut el seny i la prudència d'aturar-me quan les meves propostes de solució eren massa aventurades.[85]

Valgui, doncs, aquest treball per donar a conèixer millor o amb més estesa, dins les nostres terres catalanes, aquesta presència d'un darrer vestigi de les primeres mostres culturals de la Romània, la poesia dels trobadors, de les primerenques expressions literàries dels catalans, en una illa incorporada de fresc, aleshores, a aquella cultura; això és, el coneixement a Mallorca de les cançons dels primers poetes en una llengua romànica, atestat per una preceptiva literària, el Mirall de trobar *de Berenguer d'Anoia, un mestre de Retòrica o potser només un lletraferit d'afecció, mallorquí d'Inca.*

Facultat de Filosofia i Lletres de Tarragona.
Setembre del 1983.

84. Massó, *Repertori*, p. 333.
85. No hauré de dir, esper, que dels errors, fruit de l'audàcia per desoir els qui bé m'aconsellaven, jo sol i a tot risc en som responsable; i especialment de les rectificacions que m'atrevesc a fer a un mestre de romanistes com va esser el professor István Frank.

MIRALL DE TROBAR

Mirall de trobar

Comença le miraylls de trobar o de versiffi-
car o de rimar. Car enaxi si hom mjra o re-
garda sas faysos en vn mirayll, tot enaxi pot
5 hom veser e regardar en aquest petit scrit

---

*Ms.: manuscrit de la Biblioteca de Catalunya; M: còpia setcentista
de la Biblioteca Nacional de Madrid; P: ed. de P. Palumbo.*

*1. Sota el títol, al Ms., unes paraules raspades; sobre el raspat,
unes altres, al centre de la retxa, tatxades, molt acuradament, amb
tinta negra. M, sota el ttíol: Lo Autor de esta Obra fou Joan de Cas-
tellnou. És possible que aquesta atribució figuràs en el Ms. i fossin
les paraules raspades, que, aleshores, encara hi serien, quan el co-
pista, per encàrrec del marquès de la Romana, va fer el trasllat del Ms.*

Mirall de trobar

Comença el mirall de trobar o de versificar o de rimar,
perquè de la mateixa manera que si un home mira o
contempla les seves faccions en un mirall, així igual-
ment pot veure i contemplar en aquest breu escrit
5 la manera de trobar o de rimar o de versificar, i que

11. *Don*: traduesc aquí 'del qual'; més avall, 16, 'per tant', però
també seria admissible 'del qual'; en francès, aquest *don* (=*d'on*) és
representat per la loc. adv. 'd'où', que admet aquests dos sentits, i pel
relatiu 'dont'.
15. Aquesta divisió en cinc parts contradiu els vv. 115 i 116 del ver-
set; però és que dóna com a part del conjunt el verset, que no n'és
sinó una introducció ornamental. Vegeu la nostra *Introducció*, p. 41
a 43.

[El verset]
1 a 5 i (1) 14 a (5) 18. Frank: «Je voudrais que [vous trouviez (?)]
en moi, en tout honneur, un bel exemple et une leçon [que je vous
donne] en exposant ainsi, d'un bout à l'autre, tout simplement, sans
grande dissimulation, un message que j'annonce.» He preferit enten-
dre la preposició *en* —que he entès com a 'per'— referida a «honra-
ment» i a «ensenyament», i més quan podríem fàcilment llegir «e·n-
senyament»; Frank suposa que la lliçó del Ms., que nosaltres i P lle-
gim *Rieyas* i aquest interpreta *Renyas*, suggereix aquesta darrera in-
terpretació; però no crec que justament calgui traduir 'regnàs', sinó
que és ben possible interpretar 'regís', sense forçar gens el sentit del
verb, significant «em dirigís», «em governàs». Traduesc *trich* per 'trem-
pa' (Frank: 'dissimulation'), paraula que avui sent només en el llen-
guatge senyor de Mallorca, o en el vell de la nostra pagesia, amb el
sentit, en la loc. verbal «fer trempes», de «fer embulls (en el joc)» o
«violar-ne les regles», com el francès «tricher». *Noves c'affich* (Frank:

69

la manera de trobar o de rjmar o de versif-
ficar, on cascus se guard que nou vulla scriu-
re o transladar si be nou enten. Car enaxi
com hom pot vn mirayll leu rompre e greu-
10 ment refer, se pot aquest scrit leu corrompre
e greument refer o esmenar.
Don la primera part es del uerset
La segona del alphabet
La terça deles figures del mataplasme
15 La quarta del(e)s vicis qui son squiuadors

*1 a 9. M reprodueix literalment aquest breu prefaci en prosa: fins
i tot respecta la variant ortogràfica* Mirall *(en el títol)* / miraylls, mi-
rayll *(en el text); només hi modifica* Comensa *(2), en* axi *(3, 4, 8) i*
guart *(7).*
12. M suprimeix del mataplasme.
13. M: dels, squiadors.

es guardi qualsevulla de transcriure'l o traduir-lo si no l'entén bé, perquè de la mateixa manera que un home pot rompre fàcilment un mirall i difícilment adobar-lo, aquest escrit es pot corrompre fàcilment i difícilment

10 refer o esmenar.

La primera part del qual és sobre el verset.

La segona, sobre l'alfabet.

La tercera, sobre les figures del metaplasme.

La quarta, sobre els vicis que cal evitar.

'un messatge que j'annonce'), ho he traduït per 'unes noves que expòs': 'noves' és paraula coneguda dins el català medieval, i en el bon parlar d'avui, en el sentit de «novetats», «notícies»; *affich*, d'«afficar», segons Frank, amb el sentit d'«afirmar»; jo he preferit «exposar», a la vista de l'autoritat que retreu el Diccionari (s.v. *afixar*): «Manam afixar aquestes lletres a les portes de les esglésies», doc. a. 1769 (Aguiló Dicc.); supòs que el so d'aquests grups 'ch' devia esser palatal i no velar, i ho supòs pels testimonis registrats pel Diccionari relacionables amb «trich», això és: «tritxador», «tritxaire», «tritxeria»; aleshores *affich* seria, més versemblantment, una forma del verb «afegir» o, millor, «afigir», i entendríem «noves que afegesc a les ja conegudes sobre la matèria)».

6 a (15) 28 i (6) 19 a (14) 55. Frank: després de dos punts, «un sujet plaisant, habilement enfermé dans une rime en -*ef* [?], et en moins de -*ef* [?] [...], en racontant ce dont j'ai fait ma rime; a fin qu'il n'y ait là aucune insulte à l'égard des meilleurs connaisseurs». Traduesc *causa* per 'doctrina', d'acord amb el sentit que, al meu entendre, ha de tenir un títol com *Razos de trobar*, ja que entenc *causa*, aquí, com a sinònim de «razo» («rayso», «raó»). *En rima def / E en menxeff* al Ms., que Frank llegeix *En rim adef / E en menxeff* i interpreta *En rim ad «ef» / E en menx «eff»*, donant-ne, finalment, una traducció amb interrogants: «dans une rime en -*ef*, et en moins de -*ef*»; he acceptat la traducció del primer hemistiqui o tetrasíl·lab, tot i no entendre-la gaire: Què vol dir «en rima en -ef»? ¿Cal suposar «rima difícil o rara»? ¿Al·ludeix potser a la caracterització de la lletra 'f' exposada en el tractat (36 a 45), on diu que aquesta lletra és una consonant de les anomenades mudes, però no és com les altres, car, per raó de pronunciar-la malament, la treim de la seva pròpia naturalesa? Així, l'autor ens significaria que escriu una composició estranya, estrafolària; cosa que donaria sentit a la meva lliçó del segon hemistiqui o tetrasíl·lab i del primer del v. següent: 'i en desdeny de llei o raó'. La proposta que faig del mot il·legible, *Retx o* —o potser *Rech o*— s'acorda, pel cap, amb P, que llegeix *Re* [...] *s*, i per la coa amb Frank, que llegeix *R* [...] *o*; P, d'altra banda, diu que la paraula sembla composta de cinc lletres. El sentit queda coherent i complet amb els vv. que segueixen, segons la meva interpretació: 'esmentant allò de què

La quinta deles colors retoriques ap[ro]ua-
des en trobar
Don enaxi primeyrament comença lo uerset

1	Be uolgra quE	Bon exemplE	(1) 14
	Enoy cameN	EnsenyameN	
	Rieyas en mI	RecontansI	
4	En teyrameN	E planameN	(4) 17
	No ab gran triCH	Non es caffiCH	
	Gentil causA	Gent enclausA	
	En rima deF	E en menxefF	
8	Re [tx o] raysO	RetrahensO	(8) 21

14. *M:* aprovades.
16. *M:* comensa.
[*El verset*]
    La numeració sense parèntesi correspon a l'orde dels vv. en el Ms.
    2. *M i P llegeixen* Enoyrament / Enoyramen; *P transcriu* En onra-
men.
    3. *El Ms. sembla que digui* Fieyas; *M* Rieyas, *però Llabrés va trans-
criure* Rienas; *P transcriu* Renyas, *però també llegeix* Rieyas *i comen-
ta (p. 4, n. 19): «La correzione (che era stata avanzata dal Milà, art.
cit., p. 282), è riproposta dal Frank, che preferisce però conservare
la lacuna, nella sua ed. Altro caso in cui* Ri, *che è in nesso, sarebbe
da leggere come* R, *ricorre al v. 29.» Aquest v. és el numerat (29) 70
de la nostra ed. Sembla evident que la inicial ha d'esser* R *per man-
tenir l'acròstic; si el copista del* xiv *va transcriure* F *és que ja no
tenia ni mica de consciència del joc que amagava el verset. (Per l'art.
de Milà i per l'ed. de Frank, vegeu la bibliografia que va darrera la
Introducció a l'ed. present.)*
    (3) 16. Recontansi, *entengui's «Recontant-s'hi».*
    (5) 18. Non es caffich; *P, seguint Frank, esmena* Noves c'affich;
però tots dos llegeixen el Ms. com nosaltres.
    *6 i (6) 19. Vv. aparentment hipomètrics; vegeu, per aquests i d'al-
tres que apareixen al llarg del verset, la* Introducció, *p. 56.*
    7. En rima def; *M: id.; Llabrés:* En rima del; *Frank llegeix* En
rim adef *i interpreta* En rim ad *«ef»; P:* En rima d'«ef».
    (7) 20. E en menxeff; *Frank interpreta* E en menx «eff»; *P:* E en
menx [d'] «eff».
    8. M deixa en blanc la primera part del v. i només transcriu rayso,
*donant a entendre que no ha pogut desxifrar la paraula precedent;
Llabrés posa la paraula inteŀligible al començament del v. i transcriu*
Rayso...; *Frank, així en la lectura com en la interpretació:* R [...] o
rayso; *P:* Re [...] s rayso. *La meva restauració és del tot hipotètica,
perquè el text és ben iŀlegible, ja que el paper, en aquest punt, està
foradat; però la hipòtesi dóna sentit a la interpretació que propòs
del v. anterior, que, segons sembla, ni Frank ni P acaben d'entendre.*
    (8) 21. Retrahenso, *entengui's «Retraent ço».*

15 La quinta, sobre els ornaments retòrics aprovats en l'art de trobar.

Per tant, així comença primerament el verset.

Bé voldria que [un] bon exemple, per honrament i ensenyament, regís en mi, contant així, enterament i planament, no amb gran trempa, [unes] noves que expòs, [una] gentil doctrina, gentilment enclosa en rima en -ef i en desdeny de llei o raó, esmentant allò de què he fet [la] rima, sense que en resulti delicte pels més

he fet la rima —entengui's «la composició rimada» o «versificada»—, de manera que no en fos delicte pels més entesos: amb poques paraules explic —o «cont»— una raó noble i bona, on, si bé ho llegeixen, ho veuran gentilment [exposat] per escrit'. Frank entén, continuant la seva traducció: «en peu de mots, je profère des propos élégants et bien tournés [?].» Aquí fa punt i a part i continua: «Ils verront donc bien [ces fins connaisseurs], en lisant correctement: dans ces vers s'inscrira, sans point manquer avant que je n'aie fini [ces vers], à peu d'effort, mon nom, ici même.» Per la meva lliçó *In scritura*, vegeu l'aparat crític. La resta de la traducció és una proposta, que també podria esser: «Ni tan sols mancarà, si és que abans no me n'afluix, amb poc esforç (*faix*, 'feix' = 'càrrega', 'pes'), el meu nom aquí.»

(15) 56 a (20) 61 i (16) 29 a (20) 33. Frank, després de punt i a part, continua: «En mettant ainsi dans cette rime, à l'aide de laquelle j'affine [ma composition (?)], j'y exposerai tout, vite et bien, d'una façon élégante et tellement claire que vous me comprendrez, si vous trouvez l'endroit où vous saurez bien que mon nom se présente.» El problema és el segon tetrasíl·lab del v. 16 —exactament el v. (16) 57—: *De que ros lim*, segons Frank, que no s'atreveix a interpretar sinó *De que [...] lim*; P id., que tradueix 'in questo componimenti, per fare il quale consumo la mia lima' i comenta que «la grave licenza *lim* per *lima* potrebbe essere suggerita dall'alternanza *rim-rima*». La lliçó del Ms., *queros*, formant tota una paraula, sembla clara; per això jo propòs, potser agosaradament, entendre-hi un derivat de «quer» (pedra), en el sentit de «grop», i la interpretació de *lim* com a participi passat del verb «limar». La resta de la meva traducció discrepa lleugerament de la de Frank: supòs que el *tot* del v. 18 no és el complement directe de *retrayre*, sinó un adverbi, i entenc el primer *si* del v. 19 com a condicional, 'si', i el segon, com a adverbi de lloc, 'aquí'.

		De que fes riM	Don non fos crjM		
[col. 2.ª]		Ab li pus prO	Al pauch sermO		
		Nouell rasoS	Nobles e boS		
	12	On be ligeN	Oue yran geN	(12)	25
		In scriturA	Ja non falrA		
(14)	27	Ans que men laiX	Ab pauch de faiX	(14)	55
		Mon nom aysI	Meten ayxI		
(16)	29	Dins encest riM	De queros liM	(16)	57
		Ins retrayrE	Yuas e bE		
(18)	31	Tot bellameN	Tan clarameN	(18)	59
		Si mentrendretS	Sins trobaretS		
		[H] on sabretz bE	Hom mon nom vE		
		On letretA	(h)Om noy metA		
(22)	35	Man en ligeN	Meta son seN	(22)	63

9. *M:* de que fes rim; *però Llabrés:* De que fos rim; *Frank:* De qui fes rim, *però, en n. a peu de p., adverteix* «qui *ou* que» *i en la interpretació dóna* que.

(10) 23. *M:* Al; *Llabrés:* Ab; *P:* Ab, *seguint la interpretació de Frank, però tots dos llegeixen* Al.

(12) 25. *Ms. i M:* Que; *(he esmenat per mantenir i fer veure l'acròstic); Llabrés:* Ont; *Frank i P llegeixen* Que yran gen, *com nosaltres, però interpreten* O veyran gen.

13. M: Yn sescriura; *Frank:* Ins escriura; *interpreta* Ins [s'] escriura; *P el segueix. He mirat el Ms. amb tota atenció i crec llegir:* sc, *senyal d'abreviació equivalent a 'ri' i després* tura.

(14) 55. *M:* Ab, *però Llabrés transcriu* Al.

(16) 57. *Frank:* De que ros lim, *però no ho entén i en la interpretació refusa la lliçó del Ms.:* De que [...] lim; *P: id.*

(17) 30. *M: Ins, però Llabrés:* E us.

(19) 32. *M:* Simentendrets; *Llabrés: id., separa les tres paraules.*

(19) 60. *Frank interpreta* Si·us trobarets; *P: S'ins. Cal entendre* «[A]cí [d]ins».

(20) 33 a *(21)* 62. *Pel problema que ofereixen aquests vv. i la meva proposta de refecció, vegeu el comentari corresponent a la Introducció, p. 38/39. Ms., M, Llabrés i P:* On sabretz/s be. *Tots també llegeixen* Hom mon nom ve; *però Frank i P interpreten* On mon nom ve. *El v. (21) 34, que tots igualment llegeixen d'acord amb el Ms., és interpretat per Frank i P* En letreta. *També coincideixen tots en la lectura del v. (21) 62, d'acord amb el Ms., però Frank i P interpreten,* aquell E [...] e neta, *aquest* Ell no·y meta; *aquesta lectura és requerida per la seva proposta d'ordenació del verset i revelació conseguent de l'acròstic; vegeu la meva Introducció, loc. cit. i tot el comentari que va sota l'epígraf* «El verset».

(22) 35. *M com el Ms., però Llabrés:* Man eu ligen; *Frank llegeix* en, *però interpreta* Man eu li gen; *P:* Man en ligen.

74

entesos: amb poques paraules, [explic una] doctrina noble i bona, on, llegint bé, ho veuran gentilment per escrit. Ni tan sols mancarà, si és que abans no en desistesc, amb poc esforç, el meu nom aquí: posant[-lo] així, en aquest rim llimat de grops, dedins [el] retrauré, prest i bé, tot bellament. Tan clarament, si m'enteneu, aquí dedins [el] trobareu, que sabreu bé [d'] on ve el meu nom. Per la qual cosa, deman que, en llegir-lo, hom no hi posi cap lletra: que hi posi el seu seny [i veurà] com el meu verset és exposat de la millor manera. On sentireu així anomenar qui som aquí i d'on vaig esser allà. En llegir, prendran seguint pels caps al començament, després davalla, arribant al punt just, segons el seu lloc. [Que hom] no hi trenqui res:

(21) 34 a (23) 36 i (21) 62 a (23) 64. Frank: «Dans ces lettres [...] et claires, je lui demande gentiment, à mon Verset, qu'il y mette tout son savoir, du mieux qu'il saura s'expliquer [?].» El segon tetrasíl·lab del v. 21, que Frank llegeix *Hom noy meta*, però no interpreta més que *E* [...] *e neta*, el suposa adreçat al Verset, que, així personalitzat, escriu en majúscula; P *En letreta*, però, comentant la versió de Frank, diu: «A me sembra che, restando sempre ipotetica la ricostruzione, forse si può vedere qui l'avvertimento dell' autore a non guastare questo *verset* tanto fragile, nel cercare di scoprirne il segretto: il lettore cerchi di aguzzare l'ingegno; il *verset* si espone come meglio può.» P, doncs, pensa que l'advertiment, *Man eu*, s'adreça al lector, no al verset, com vol Frank; d'acord en aquest punt amb P —però l'advertiment no és pel qui vulgui descobrir el «secret» del verset, sinó per qualsevol que el vulgui transcriure o interpretar, d'acord amb el petit paràgraf introductori, 1. 7/8—, la meva interpretació és, tanmateix, diferent.

Mon uerset quO
On enayxI
Nom nar suy sA
(26) 39 Pels caps sigueN
Al comensaylA
[fol. 1 v. col. 1.ª] Justa vinenS
Regart pel renCH
(30) 43 El cap primeR
Ffayts junterO
On consigueN
Axi ses criM
(34) 47 Son ab rasO
Ar parlen dalS
Tant que queix troP
Sex nouellA
(38) 51 Pusca legiR

Mils com sespO
Oiretz quJ
Ne don fuy lA
Penran ligeN (26) 67
Apres de vaylA
Juas seguentS
Ries nom trenCH
E ell derreR (30) 71
Ffayts ne li sO
O veyran geN [fol. 1 v. col. 2.ª]
Aycels qui priM
Senes tensO (34) 75
Als comjnalS
Tot quant ell troP
Sens reuellA
Per ses baudiR (38) 79

(22) 63. M i Llabrés: Meta sou seu.

(24) 37. M: On en ayxi; *Llabrés:* On e n aysi.

(26) 67. M: Penram ligen; *Llabrés:* Penzant ligen; *Frank i P interpreten* Penra ligen.

(27) 40. Frank i P interpreten A comensayla, *però llegeixen* Al.

(28) 41. Frank: Just avinens, *interpretat* Just' avinens; *P:* Justa v.

(29) 70. M: Res nom trench *(Llabrés:* no m); *Frank:* Res non i trench, *sense cap explicació; P: id., però llegeix com nosaltres.*

(30) 43. M i Llabrés: El cap primet; *P també llegeix* primet.

(31) 44. Llabrés: Hayts juntero *(ha pres per una* H *les dues* ff *inicials); Frank i P llegeixen* juntejo.

(31) 72. M i Llabrés: Ffayta ne liso; *Frank i P:* Ffayts ne lo so, *però llegeixen* li.

(32) 73. Ms., M i Llabrés: E veyran gen; *és també la lectura de Frank i de P, i la nostra (esmenam per mantenir l'acròstic). Frank interpreta* O venran gen.

(33) 46. Frank: Axi se scrim; *en la interpretació i en P:* Axi s'escrim.

(34) 47. Frank i P interpreten Son' ab raso, *suposant un «sona» i que* aycels *és singular.*

(35) 48. M: An parlen dals; *Llabrés:* An parlen clals; *Frank:* parlen; *P:* parlem, *però llegeix* parlen.

(36) 49. M i Llabrés: Tant que quix trop. *Frank no corregeix, però tradueix* queix *com si fos «quecs» ('cadascú'), traducció que trobam la sola acceptable.*

(37) 50. Sex, entengui's «ses» ('sense'), d'acord amb Frank, p. 10, n. 10.

(38) 79. M i Llabrés: Per ses bandir; *Frank:* Per sesbaudir, *interpretat* s'esbaudir, *com a* P.

[amb] els caps primers i [amb] els darrers feis l'ajuntament, treis-ne el sentit, on, resseguint, ho veuran gentilment, així, sense trempa, aquells qui són, sense disputa, exigents amb [una] composició. Ara parlem d'altres coses als companys, tant que cadascú trobi tot quant ell, sense baralla, sense revolta, molt pugui llegir per esbargir-se, així com reglar, tot divertint-se. Per la qual cosa, oïu clarament, en llegir. El meu vers s'ha acabat millor que no [l'he] dit. Així doncs, després que he enllestit el verset començat, jo voldria cercar si em pro-

---

(24) 37 a (29) 42 i (24) 65 a (29) 70.   Frank: «Ainsi donc, vous entendrez nommer, ici, qui je suis, et là, d'où je suis venu: en suivant les têtes [de vers], cela commencera, en lisant, au commencement, et après cela descend selon les têtes de vers qui suivent immédiatement, dans l'ordre convenable, par rapport à leur rang: je n'y retranche rien.» No hi ha diferència essencial entre Frank i nosaltres; només al final, jo interpret com a 3.ª persona de l'imperatiu el *trench* que ell entén com a 1.ª de l'indicatiu.

(30) 43 a (34) 47 i (30) 71 a (34) 75.   Frank: «De la première tête de vers à la dernière, faites la jointure et établissez-en le sens, auquel, en suivant cet ordre, elles arriveront convenablement.» La meva versió seria potser menys literal, però més clara així: «Ajuntau —o "confegiu"— els caps primers i els darrers de cada vers, treis-ne el sentit, de manera que, resseguint així, ho veuran gentilment, sense falla —jo llegesc *ses crim*, com més amunt, v. 9—, aquells qui, sense discussió, són exigents —o "miren prim"— amb una composició.» Sembla ben acceptable l'equivalència *so* / 'sentit' proposada per Frank. El qual continua, entre dos punt-i-a-parts: «Ainsi s'escrime celui qui parle avec subtilité et, sans conteste, selon un plan raisonné.»

(35) 48 a (41) 54 i (35) 76 a (41) 82.   Frank: «A présent, elles parlent d'autre chose aux collègues, pour que chacun puisse trouver tout ce que, dans ces propos abondants —sans querelle et sans contestation [?]—, il peut lire, à sa joie, ces choses si bien réglées [?], pour s'en réjouir.» Punt i a part i acaba: «Entendez-les donc clairement, en lisant. Mon vers se termine mieux que je ne l'aie dit.» La interpretació *parlen* / 'parlem' és de P i sembla més acceptable que la de Frank. Per la resta, no hi ha gaire discrepància entre una versió i l'altra. Sembla justa la interpretació *cominals* / 'collègues', «companys», sobretot a la vista del v. 50: «de manera que no s'hi barallin ni s'hi revoltin».

		Reglar tanbE	Rixensan bE	
		On clarameN	Ojatz legeN	
(41)	54	Mon ve[r]s finiS	Mils que no dí(n)S	(41) 82
		Dons puys que say layrat		
		Lo verset començat		
		E[u] volrria sercar		
	86	Sim poyria bastar		
		Sen [e] entendimen		
		Per que fes entenen		
		Tot pla e senes rima		
	90	Del som tro a la sima		
		Del Alphabet com va		
		Ni com se comensa		
		Ni cal dits hom vocal		
	94	Consonan atretal		
		E de las consonans		
		Es aytals mos talans		
		De dire cals son mudes		
	98	Mig vocals e audes		
		E ceyles ques piran		
		Dits hom pronuncian		
		E las gregas quey son		
	102	Tot so a que seruon		
		Nj ço se pot flixar		
		Mataplasmen rjmar		
		E quals per natura		
	106	Reyl prenden figura		

---

(39) 80. Frank: Rix en san be, *interpretat* Rixen s'en be, *com a P.*
83. *M:* Don puys qui say layrat.
87. *Llabrés:* Sen e endendimin.
88. *Llabrés:* Per que fos entenen.
93. *M:* Ni tal.
94. *Llabrés:* Consonans.
97. *M:* de dire tals; *Llabrés:* tal.
101. *M:* quy.
102. *Llabrés:* serron.
104. *Llabrés:* Mataplasme n rimar; *P:* Mataplasm' en rimar.
106. *M:* Peyl; *P:* D'eyl, *i llegeix* Reyl prinden. *La lliçó correcta, probablement, hauria d'esser* De eyl prenden figura, *per donar al v. les*

drien bastar seny i enteniment per tal de fer entenent, en pla i sense rima, de baix fins a dalt, de l'alfabet com va i com es va començar, i quines [lletres] en diuen vocals, i també de les consonants; i de les consonants, és el meu intent dir quines són mudes, mig vocals i agudes, i les gregues que hi ha, tot allò per què serveixen; i com es pot flexionar el metaplasme en rimar, i quines paraules per naturalesa prenen figura d'ell, i com es deu hom guardar de vicis en trobar; i l'acolorament, que es fa molt bellament: Retòrica li digué aquell que en va fer l'escrit, quan adequadament volgué rimar i volgué acolorar. I això es repartirà en quatre parts, segons l'art. Tot primer, l'al-

---

83. Entenc: «Doncs, puis qu'eu·z ay laisat», 'Doncs, després que jo he deixat' (=«he acabat», «he enllestit»).

103. P no esmena, però evidentment ha d'esser *co*. Traduesc *flixar* per 'flexionar', això és, «cedir (a les regles del metaplasme)».

106. *Reyl*, sens dubte, ha d'esser *Deyl*, com esmena P, 'D'ell'.

E cos deu hom guardar

[fol. 2 r.
col. 1.ª]
De vicis en trobar

E la color amen
110 Ques fay tot beylamen
Retorica li ditz
Ay ceyl quj fe lescritz
Quant asaut volc rimar
114 Enuoch [a] colorar
E ayso en iiijᵉ partz
Se partra segons lart
Tot primer l'alfabet
118 La segona per dret
Es lo mataplasmes
E quals senes blasmes
Son de sa natura
122 Nen pendron figura
La terça doncs sera
O uejares non falra
Dels vicis hon gardar
126 Se deu en son trobar
Cascu a son sient
El acolorament
Sera la quarta part
130 E axi haurem lart
Hon dejam recordar

*sis síllabes mètriques que demana; l'anterior, aleshores, hauria d'es-
ser E quals per sa natura; si no és que ens hàgim de resignar a dos
pentasíllabes, com més endavant, vv. 119 a 122.*

109. *Llabrés:* E la color. Amen.
110. *M:* O ues fay; *Llabrés:* O ue s say.
111. *Llabrés:* dits.
112. *Llabrés:* escrits.
113. *P:* vol.
114. *P:* Envoch [a] colorar.
115. *M:* quatre.
122. *Llabrés:* Ne n pendran figura.
123. *M:* dons; *Llabrés:* doncs.
124. *M:* O veyares non falra; *P:* Que ja res non falra.
128. *M:* El acalorament.

fabet; la segona, per dret [orde], és el metaplasme, i quines [paraules], sense blasme, són de la seva naturalesa i en prenen figura; la tercera, doncs, serà que ja res no mancarà dels vicis, dels quals hom es deu guardar en el seu trobar, cadascú segons el seu saber; i l'acolorament serà la quarta part. I així tendrem l'art on hàgim d'acordar tot el nostre trobar. Però per mi és cosa feixuga carregar-me amb aquesta tasca d'or-

114. Entenc: «E·n volc acolorar», 'I volgué acolorar-ne (=«adornar-ne») [el trobar]'. P nomes corregeix [a] colorar.

119 a 122. Quatre pentasíllabs, dins la tirada d'hexasíllabs, si no és que els pronunciem, com hem fet amb qualque v. del verset propi, com a aguts.

124. Que ja res: l'esmena és de P.

On tot nostre trobar
Mas a mi es pesan
134 Que me carch tal afan
Dayso a ordenar
On poria errar
E say que mas repres
138 Mays eu respon ades
Qujd sap mils ho diga
Que amj non es triga
Queu mj suy deportat
142 E ociositat
Nay lunyada de me
Que uol mal a tot be
E laix me del rimar

Rayl

La primeyra part es del alphabet, lo qual fo
ordenatz en Italia per una dona nomenada
Carmet ninfa. Aquesta Carmet ninfa, Segons
5 que diu sant Isidorus, fou de Sanno que es
vna ylla de mar della Sicilia. E fon vna de-
les ·Sibjlles· per que es dita Sibilla samja.
E hac vn fill qui fon appellatz Samjs latinus
don la gent es dita latina. E les letres que

132. *P:* En tot.
134. *Llabrés:* cerch.
137. *P:* que m'an, *però llegeix* mas.
139. *M:* Quid sap mili ho diga; *P:* Qui o sap mils, ho diga.
[*El tractat*]
1. *M:* Rayl; *P:* [Mi] rayl.
7. *Ms.:* la j *de* Sibjlles, *corregida damunt una altra lletra, potser,
segons P, una* e.
8. *Ms.:* la s *final de* Samjs *és posada sobre la* j, *en la interlínia;
per això, tal volta, M, confús, transcriu* Samery.

denar tot això, on podria errar, i sé que m'has représ;
però jo he respost tot d'una: qui millor ho sàpiga, que
ho digui, que jo no tenc cap pressa, perquè m'hi he
divertit i l'ociositat he allunyada de mi, que vol mal
a tot bé, i deix ja de rimar.

[I]   Mirall
La primera part tracta de l'alfabet, el qual va esser
ordenat a Itàlia per una dona anomenada Carmet, nim-
fa. Aquesta Carmet, nimfa, segons el que diu sant Isi-
5 dor, fou de Sanno, que és una illa de mar de Sicília.
I fou una de les Sibil·les, per la qual cosa és dita sibil·la
Sàmia. I va tenir un fill que fou anomenat Samis Llatí;
per qui és anomenada la gent llatina. I les lletres que
ella va inventar es diuen llatines. Aquest alfabet va

132. *En tot*: l'esmena és de P.
137. P esmena *m'an repres*; però *mas* (='m'has') és ben clar al
Ms., i no veig raó per no mantenir-ho: potser això suposa una en-
dreça *in mente*, no expressada per l'autor, o no reproduïda pel co-
pista.
[El tractat]
1. *Mirall*. Restaur, d'acord amb P (p. 9, 121): la lliçó *Rayl* del Ms.
és massa estranya, i ni tan sols interpretant-la com a 'arrel', 'fona-
ment', 'introducció', etc. fa sentit; és clar i exprès que el text que
segueix és la primera part del tractat i el mot posat al centre de la
columna 1.ª no pot esser més que el títol de tot el llibre.
2 ss. Aquesta teoria sobre l'origen de l'alfabet, procedent de les
Etimologies isidorianes, es va mantenir al llarg de tota l'Edat Mitjana;
la recull Lluís d'Averçó, el qual addueix, en autoritat, uns versos es-
colars:

> Carmentis notulas invenit femina nostras;
> Hebreas, Mohises; graecorum gramata Camus;
> Caldeas, Abraham, qui primus dicitur actor.

(*Torcimany*, I, p. 47 a 54.) A sant Isidor també és anomenada Car-
mentis, i no Carmet, amb l'explicació *quia carminibus futura canebat*,
'perquè anunciava el futur amb *carmina* (pl. de *carmen*; 'versos')
(*Etym*,. I, 4-1).
9. Interpret *troba* del Ms. com a 'inventà' o 'va inventar', d'acord
amb la llegenda, segons la qual la sibil·la Sàmia, Carmet o Carmetis
(*Torcimany*, I, p. 54), hauria refet i anomenat de nou els caràcters
de l'alfabet grec; per tant, no hauria simplement «trobat» les lletres
llatines, sinó que les hauria «inventades».

10 ella troba son dites letines. Aquest alphabet
primeyrament fo pres de Grech car alpha
vol aytant dir primer o començament. E bet
es pres de boca quj es la segona letra de
Grechs. E axi es dit alphabet quj deualla, o
15 es pres de grech, e en ebraic es dit alfabet.
E en arabich es dit alifbet. E en nostre pla
lenguatge dehim ·a·b·c les altres segons ques
seguexen en aquest alfabet dehím vulgarment
beceroles qui uol aytant dir com la cosa be-
20 cevau o multiplican. Car segons que en molts
lochs se conta los filosoffs les appellen ele-
mens parlan per semblants. Car en axi com
dels elemens compon e es compost qualque
cors uos placia axis compon o son composts
[col. 2.ª] 25 dajustament del alphabet / o beceroles silla-

---

13. *Ms. i M:* boca; *P esmena en* beta. *P:* grech, *però llegeix* Grechs.
18. *Ms.: una* v *tatxada entre* dehím i vulgarment.
19/20. *M i P:* becevan; *per la interpretació d'aquesta paraula vegeu*
la *nota corresponent en la meva versió al llenguatge actual.*
20/21. *M:* Car segons qui en molts lochs se conte.

10 esser pres primerament del grec, perquè *alfa* vol dir
tant com primer o començament; i *bet* és pres de *beta*,
que és la segona lletra del grec. I així s'anomena alfa-
bet, que procedeix o és pres del grec, i en hebraic es
diu alfabet, i en aràbic es diu alifbet. I en el nostre
15 pla llenguatge deim abecé, i de les lletres, en l'orde que
se segueixen en aquest alfabet, en deim vulgarment be-
ceroles, que vol dir tant com una cosa que lletreja o
que es multiplica. Perquè, segons el que conten en molts
de llocs, els filòsofs les anomenen elements, parlant per
20 semblança. Perquè, així com dels elements es compon
i és compost un cos qualsevulla, així es componen o són
compostes, per ajustament de l'alfabet o beceroles, síl-
labes o diccions, que són començaments o mots aca-
bats.
25 Les lletres de l'alfabet, segons el nostre ús comunal, són

11. Interpret *beta*, d'acord amb P (p. 9, 131) i amb el sentit comú,
tot i que la lliçó del Ms., *boca*, és ben clara.
14. L'alfabet hebreu és l'alefat i l'àrab l'alifat (B. d'A. parlava per
aproximació, si no és que el seu copista li estrafés l'original); sant Isi-
dor no dóna el nom d'aquests alfabets, però diu que la primera lletra
de l'alfabet hebreu es diu *aleph* (*Etym.*, I, 3-4).
15. Interpret 'abecé' les tres lletres del Ms., perquè és aquesta la
paraula pròpia del «nostre pla llenguatge». Coromines en dóna com a
primera documentació la de la primera edició del *Diccionari de la
llengua catalana*... de Pere Labèrnia (DECLC, s.v.ABECÉ).
16/17. *Beceroles té*, segons Coromines *(loc. cit.)* documentació més
antiga: les *Vides de sants rosselloneses* (fol. 261 v., l. 21) i Jaume Roig
(*Spill*, v. 13.594), on té, però, més que no el sentit d'abecedari, el de
joc o jugueta per entretenir els infants, el de cosa pròpia d'infants,
infantilisme, infantada (vegeu el DCVB, s. v. BECEROLES).
17. El mot 'lletreja' —o, més bé, la locució 'que lletreja'— tradueix
el *becevau* del Ms., esmenat en *becevan* d'acord amb P, que l'entén,
lògicament, com un participi de present, categoria gramatical sugge-
rida per la disjuntiva d'identitat *o multiplican*. No he trobat enlloc
aquesta paraula; el professor Martí de Riquer, davant la fotocòpia del
Ms. em suggereix si no podria esser *beceyan*, amb una *y* esdevenguda
v per oblit del traç inferior o que s'hagués esborrat del Ms.; la pa-
raula seria, aleshores, *becejar*, això és, *(a)becejar*, en el sentit d'anar
pronunciant l'abecedari lletra a lletra i per orde; tampoc els reper-
toris lexicogràfics que conec no duen aquesta paraula; però l'explica-
ció proposada pel doctor Riquer em sembla l'única admissible.

bes, o diccions qui son començamentz o motz acabatz.

Son les letres del alphabet segons nostre us comjnal xxiij· ço es assaber ·a·b·c·d·e·f·g·h·i·k·
30 ·l·m·n·o·p·q·r·s·t·u·x·y·z. En les quals ha ·v· letres qui son dites vocals ·a·e·i·o·u· per ço son vocals dites car cascuna fa veu per si e neguna veu no poria esser jnformada senes vna de aquestes ·v· o mes.

35 Totes les altres romanents son dites comjnalment consonants. E perço son dites consonants car ajustada vna, o mes aquestes fa ab uocal sillaba o diccio deles quals totes consonants son dites les nou mudes ço es
40 saber ·b·c·d·f·g·k·p·q·t. Mudes son dites aquestes ·ix· perço com cascuna comença en consonant e fenex e determena en vocal.

E la letra que es dita ·f· deu esser muda par,

37. *P:* [d'] aquestes.
40. *M:* asaber.

vint-i-tres, això és a saber: a, b, c, d, e, f, g, h, i, k, l,
m, n, o, p, q, r, s, t, u, x, y, z. Entre les quals hi ha
cinc lletres que es diuen vocals, a, e, i, o u i per això
es diuen vocals perquè cadascuna fa veu per si i cap
30 veu podria esser informada sense una o més d'aquestes
cinc.

Totes les altres romanents es diuen comunament con-
sonants. I per això es diuen consonants, perquè ajus-
tada una o més d'aquestes amb una vocal fa síłlaba o
35 dicció. I de totes aquestes consonants, nou s'anomenen
mudes, això és a saber: b, c, d, f, g, k, p, q, t. Aquestes
nou s'anomenen mudes perquè cadascuna comença en
consonant i acaba i es resol en vocal.

núncia se mostra mig vocal, ja que el començament és
I la lletra que es diu *f* pareix que degui esser muda,
40 però no és semblant a les altres mudes. Perquè, encara
que sigui muda, com que és mala de pronunciar la treim
defora de la seva naturalesa; perquè en la nostra pro-
vocal i la resolen en consonant, quan sembla que fos

23. B. d'A. usa el terme *dicció* en el sentit d'emissió de veu, equi-
valent a *síłlaba*, tot i que al llarg del tractat usa *dicció* amb equiva-
lència de 'mot' o 'paraula',. probablement per més claredat; però en
aquest passatge difereix d'Averçó, per qui *dicció* és taxativament 'pa-
raula': «E sapiats que dicció e mot es tot una mateixa cosa» (*Tor-
cimany*, I, p. 45).

25. La lletra és per B. d'A., que segueix la tradició clàssica, una
grafia que representa un so; de manera semblant per Averçó, que in-
sisteix, però, sobre la condició de «forma» de la lletra: «Propiament
letra és forma» i «e axí letra es forma, och e veu significada, la qual
divisir no·s pot» (*Torcimany*, I, p. 34).

39. El nom de la lletra *f* és, amb el de la *x* (vegeu infra, 55 ss.),
l'únic nom de lletra que transcriu el *Mirall*: en el v. 7 del verset.
Averçó no en fa esment, d'aquest caràcter ambigu de la *f*, com no es-
tableix tampoc cap classificació de les lletres, sinó que diu únicament
que n'hi ha sis que no foren trobades per Carmetis, perquè «es ver
que·y foren mesclades per los arthografs qui apres d'aquesta Quarme-
tis vengueren», i aquestes sis lletres son h, k, q, x, y, z (*Torcimany*,
I, p. 35); coincideix, amb poca diferència, amb *Etym.*, I, 4, 11-15. La
classificació de B. d'A. és isidoriana (*Etym.*, I, 4-4).

87

e es no semblant ales altres mudes. Cor jat-
45 sia que sía muda per mal pronunciar la gi-
tam de sa natura. Car en nostre pronunciar
[fol. 3 v.
col. 1.ª]
se mostra mjg vocal, per ço com lo comen-
çament vocal e la determenen / en conso-
nant on par que mils fos dita e pronunciada
50 que li dixessem ·fe· e axi començaria encon-
sinant e determenaria en vocal. Empero ena-
quex matex pronunciar quant es scrita ab
vocal demostra (demostra) lo seu comença-
ment de consonant. E axi es mesa en lo nom-
55 bre deles nou mudes.

Encara son dites deles consonants ·vj· mig
vocals ço es saber ·l·m·n·s·r·x. E son dites per-
ço mjg vocals com comencen en vocal e fe-
nexen e determenen ab consonants e fan mal
60 en algunes partides de Catalunya e de Ma-
llorques e deles ylles de mal pronunciar la ·x·
cor ells la nomenen o llur pronunciar ceix,
e axj la giten de sa natura, e de son signifi-
cat. Cor ells la comencen enconsonan e la
65 determenen enconsonant, e axj nos mostra
ne vocal ne muda ne mig vocal En los altres
lochs la pronuncien mils, perço com li dien
·ex· e axj comencen la en vocal e determe-
[col. 2.ª]
nen la en consonant. / E axj es vista plus
70 clarament mjg vocal. La letra que es dita ·h·
no és vocal ne mjg vocal ne muda. Mas que es

44/45. *M: jacsia.*
47/48. *P:* començament [es] vocal.
50. *M:* qui li.
53. *Ms.: repeteix* demostra; *M també.*
59. *Ms.: al marge, ocupant unes tres línies, hi ha el dibuix d'una mà dreta, que pareix que senyala cap a dalt.*
62. *P:* en llur pronunciar.
64/65. *M:* en consonan ... en consonant.

45 més ben dita i pronunciada si li diguéssim *fe*, i així
començaria en consonant i es resoldria en vocal. Però
en aquesta mateixa pronúncia, quan és escrita amb
vocal, demostra el seu començament de consonant. I
així és posada en el nombre de les nou mudes.

50 Encara, de les consonants, n'hi ha sis que es diuen mig
vocals, això és a saber: l, m, n, s, r, x. I es diuen mig
vocals perquè comencen en vocal i acaben i es resolen
amb consonants; i en algunes partides de Catalunya i
de Mallorca i de les illes fa mal de pronunciar la *x*, per-

55 què ells l'anomenen en llur pronúncia *ceix*, i així la
treuen defora de la seva naturalesa i del seu significat,
perquè la comencen en consonant i la resolen en con-
sonant, i així no es mostra ni vocal ni muda ni mig
vocal. En els altres llocs la pronuncien millor, perquè

60 li diuen *ex*, i així la comencen en vocal i la resolen en
consonant. I així es veu més clarament que és mig vocal.
La lletra anomenada *h* no és vocal ni mig vocal ni
muda, sinó que és posada en senyal d'aspiració. De les
lletres anomenades *y*, *z* usam per raó dels noms grecs.

65 De l'ajustament de les consonants amb les vocals són
fetes síl·labes, de vegades d'una sola consonant amb
una vocal, així com és *fe*, *se*, *sa* i d'altres consemblants
d'aquestes; altres síl·labes són fetes i pronunciades amb
més consonants, així com qui digués o volgués pronun-

70 ciar *phi*, *sem*, *tan* i d'altres consemblants d'aquestes.

46. D'aquesta hipòtesi, o proposta, de B. d'A. inferesc que el nom
de la lletra *f* devia esser *efe*, com avui. El passatge entre els dos
punts, ls. 40 a 42, no acaba d'esser entenent.

54. Quan diu «i de les illes», entenc que es refereix a les altres
illes on es parlava, i es parla, la llengua catalana, això és Menorca,
Eivissa, Formentera (els altres illots no són habitats, si no és pels
torrers dels fars de la Dragonera i de Cabrera y pels amos de posses-
sió d'aquesta, si és que encara hi tenen cura de les terres) i potser
l'Alguer de Sardenya.

55 ss. En aquest punt sobre el nom correcte de la *x* discrepen
notòriament B. d'A. i Averçó, el qual diu, cap al final del paràgraf
que dedica al «dret so» d'aquesta lletra: «e sapien tuyt que la dita
x deu eser nomenada *xex* e no *echs*». (Vegeu la Introducció, p. 22.)

posada en senyal de aspiracio de les letres
que son dites ·y·z· vsam per rao dels noms
grechs dajustament deles consonants ab les
vocals son fetes sillabes ala vegada de vna
75 sola consonant ab vna vocal axi com es
·fe·se·sa, e altres semblants daquestes altres
sillabes son fetes e pronunciades de mes con-
sonants axi com quj desia, o volia pronun-
ciar ·phi·sem·tan. E daltres semblants a
80 aquestes.

De sillabes son compostes diccions quj son
mots quj signjfiquen ·cosa· locs o temps de
sola vna sillaba ales deuegades son alcunes
diccions o mots acabats axi com es ·pa· e
85 ·vj· e ca· e bo, e daltres semblants a aquestes.
Doncs hauem que del alfabet se componen e
son compostes sillabes, e de sillabes se com-
ponen o son compostes diccions. Per que
hom pot ajustar mostramens de raons o de
90 diccions.

[fol. 4 r.
col. 1.ª]
Del mataplasme es la segona part qui es nom
comu de qual son deuallans o demostrades
moltes especies e figures per les quals son
consentides e fetes per molts poetes e filo-

Amb síl·labes es componen diccions, que són mots que signifiquen cosa, llocs o temps. Algunes diccions o mots són, de vegades, d'una sola síl·laba, acabats, així com és *pa*, i *vi* i *ca* i *bo* i d'altres consemblants d'aquestes. Te-
75 nim, doncs, que amb l'alfabet es componen o són compostes síl·labes, i amb síl·labes es componen o són compostes diccions, i per això es poden ajustar ensenyaments de raons o de diccions.

La segona part tracta del metaplasme, que és nom comú
80 del qual procedeixen o es demostren moltes espècies i figures, en virtut de les quals són consentides i fetes per molts de poetes i filòsofs ja abreujaments, ja allargaments en diccions o en síl·labes, sigui llevant del començament de la dicció, sigui afegint, bé al comença-
85 ment, bé a la fi, síl·laba o lletra, segons el que més avall se segueix. I això fou i és atorgat per igualar més comunament diccions o rimes en versificar, en dictar o en rimar, salvant que la dicció o el mot no sigui corromput o mudat de la seva propietat o del seu ente-
90 niment. De les quals espècies o figures, n'hem preses algunes més convenients a demostrar o a provar-nos-ho; encara que els poetes o els trobadors en prengueren moltes d'altres més que aquestes. De les quals espècies o figures tracta la primera part

77. La paraula *ajustar*, en les diverses formes de la seva flexió, és freqüent en el *Mirall*, entesa generalment en el sentit de «conformar una cosa a una altra com a regla o norma» (DCVB, s. v. AJUSTAR), però també amb significat d'"afegir' (l. 99, per exemple); he mantengut normalment la paraula de l'original perquè també és d'ús en el llenguatge d'avui. Traduesc *mostramens* per 'ensenyaments', que més propi fóra per ventura traduir 'demostracions' o 'mostres'; però aquell, uns certs miraments d'estil m'impedien posar-lo, i l'altre no dóna amb exactitud, crec, la intenció del tractadista.

86 a 90. Aquesta autoritat impersonal que va atorgar i atorga les llicències del metaplasme és la dels poetes i trobadors (vegeu la *Introducció*, p. 22 ss.); i entenc *cominalment egualar* en el sentit d'establir una llei comuna a tots els trobadors que regeixi la seva poètica a l'hora de compondre les seves cançons en igualtat de mètrica, simetria d'estrofes, repetició de rimes, però sobretot pel que fa l'alteració de les paraules, a fi que no es faci impossible el seu enteniment.

95　sofs e abreujantz e allongamentz en diccions,
o en sillabes. E traent del començament dela
diccio, o enadent, o del començament, e dela
fi sillaba o letra segons que dauall se se-
guex. E aço fo e es atorgat per pus comjnal-
100　ment egualar diccions o rimes en versificar
en dictar o en rimar saluant que diccio o
mot no sia corromput o mudat de sa pro-
prietat o de son entenjment, deles quals spe-
cies, o figures hauem preses algunes pus couj-
105　nents a nos demostrar o de prouar jatsia
quels poetes ols trobadors ne preseren mol-
tes daltres menys daquestes deles quals spe-
cies, o figures es la primera part.

Aci comencen les figures del Mirayll
110　La primeyra que es dita proteysis que uol
[col. 2.ª]　dir dauant / posar ço es quant letra o silla-
ba vagant ajusta hom al començament de la
diccio. E per eximpli axi com quj uolia dir
aquell hom sembla aytal hom. E que al co-
115　mençament de la dicció que es dita *sembla*
justas hom *re* quj es vna sillaba, e diria puys
resembla aytal home, o que volgues hom dir
aytal caualler torna enaytal alberch. E que
aquella diccio que es dita *torna* ajustas hom

97. *M:* venadent *(per o enadent). P:* o de la fi.
98. *M:* seges que davall.
108. *P:* es la segona part; *justifica la correcció:* «Ms. primera, *for-*
se per attrazione di ciò che segue, l. 210» (l. 110 de ls nostra ed.).
118/119. *P:* que [a] aquella.

[II]
   Aquí comencen les figures del Mirall
[1]
La primera és dita protesi, que vol dir «posar davant»;
això és quan una lletra o una síl·laba solta és ajustada
100 al començament de la dicció. Per exemple, així com qui
volgués dir *Aquell home sembla aital home,* i que al
començament de la dicció que és *sembla* afegíssim *re,*
que és una síl·laba, i llavors diria *ressembla aital home;*
o que volguéssim dir *Aital cavaller torna en aital alberg,*
105 i que a aquella dicció que és *torna* afegíssim tal síl·laba
com és *re,* i així diria *retorna;* i d'aquesta mateixa ma-
nera, n'hi ha moltes, [de possibilitats], semblants a
aquestes. Així, En Guerau de Bornelh va posar en una
cançó seva que va fer i que comença:
110   S'era no puja mos xans
              No say quant jamay s'enans,
              E si no val *dos aytants*
              Que far no solia.
En això que ell digué, *dos aitants,* per aquesta figura
115 afegeix davant la dicció *aitants* la síl·laba *dos,* i així diu
dos aitants. I segons el llenguatge pla, més pla fóra dir
dos tants; però ell va posar, per la dita figura, *dos*
aitants. En un altre lloc, va posar, en una cançó seva
que comença:

98. Per l'explicació dels termes de retòrica, vegeu la *Introducció,*
p. 18 ss.; escric «posar davant» entre cometes perquè crec que B.
d'A. dóna aquest sintagma com a traducció i equivalent exacte del
grecisme *prothesis* o 'protesi'.

110 a 113. Per les citacions de trobadors vegeu la *Introducció,* p. 30
ss. La cançó citada aquí és la núm. 5 de l'ed. de KOLSEN, p. 18/19 a
24/25. La lliçó de B. d'A. discrepa lleugerament de la dels cançoners
col·lacionats per KOLSEN. Tr.: «Si ara no puja el meu cant no sé quant
mai s'exalçarà, i si no val el doble que no solia, [bé pots en dret
desdenyar-lo'm. I per què? No m'ho demanis, que no t'ho diria].»

114 a 118. El preceptivista aquí s'embulla amb el numeral *dos* i la
síl·laba *ai-*: hauria de dir: «per aquesta figura afegeix davant la dicció
tants la síl·laba *ai*».

120 aytal sillaba com es *re*. E axi dirja *retorna*.
E per semblants anj moltes semblants ab
aquestes. Don en Guerau de bornell mes en
en vna sua cançо que feu qui comença: Sera
no puja mos xans no say quant jamays se-
125 nans en si no val *don say tants* que far no
solia, enayso que ell dix *dos aytans*, per
aquesta figura ajusta denant la diccio que
es dita *aytans* la sillaba que es dita *dos*. E
axi dix *dos aytans*. E segons pla lenguatge
130 pus pla fora dit *dos tants* per que ell mes

[fol. 4 v.
col. 1.ª]

per la dita figura dos aytants. Enaltre loc
mes en vna sua cançо quj / comença de xan-
tar me foren trames en la ·vª· cobla que diu
Apreyar laia sil plagues. E axi ajusta al co-
135 mençament de aquella diccio que es dita *A*.
E dix *Apreyar* per aquesta figura an mes en
llur trobar, o rimar, o versifficar sillabes o
letres uocals denant diccio.

Afetesis es leuar letra o sillaba del comen-
140 çament de diccio.

Laltra figura, o specia es contraria dela
dauant dita e ha nom afetesis que vol aytant

---

*125. M: don fay tants. No aplicarem l'aparat crític a les citacions
de trobadors; per l'establiment del text i la traducció vegeu la versió
al català actual. M no aporta claricies sobre aquestes lliçons, evident-
ment corruptes, del Ms., ans, si de cas, incorre en falta sobre falta.*
132. Ms.: sua, amb s allargada corregida damunt c.
139 i 142. P corregeix en aferesis.

120   De xantar
             Me for' entrames,
en la quinta cobla, que diu:
             Apreyar
             L'aia, si · lh plagues.

125 I així afegeix al començament d'aquella dicció que és
preyar la lletra o síl·laba *a*, i diu *apreiar*. Per aquesta
figura han posat els trobadors en llur trobar o rimar
o versificar síl·labes o lletres davant una dicció.

[2]

130   Afèresi és llevar una lletra o una síl·laba del comen-
çament d'una dicció.
L'altra figura o espècie és contrària de l'abans dita, i
es diu afèresi, que vol dir tant com llevar o sostreure
una lletra o una síl·laba del començament de la dicció,
135 així com qui volgués dir *Aquell home ajusta diners*
molts, i que del començament de la dicció *ajusta* llevàs
aquella lletra vocal *a*, i així diria *justa molts diners*; o,
encara, que volgués dir *Acompanyats aquest home*, i
que del començament del mot *acompanyats* llevàs aque-
140 lla lletra vocal *a*, i així diria *companyats aquell home*.
D'aquí En Guerau de Bornelh va posar en una cançó
seva que comença:

120 i 121 i 123 i 124. Ed. KOLSEN, sirventès-cançó, núm. 41, p. 236/7
a 244/5; estrofa V, p. 242. Tr.: «De cantar m'hauria ocupat...» i «Li
suplicaria, si li plagués, [Des que per ella he recobrat l'alegria, que
fos la nostra bona amistat coneguda per un amic].» KOLSEN transcriu
A preciar / L'agra...; la majoria dels cançoners duen *Mas preyar /
Volgra...*
126. P només supleix [*preyar*]; millor potser supliríem [*preyar* la
letra vocal que es dita].

dir com leuar o sostrer letra, o sillaba del
començament dela diccio axj com quj volia
145 dir aquell home *ajusta* djners motz. E que
del començament dela diccio que es dita *ajus-*
ta leuas aquella letra vocal *a.* E axj dirja
justa motz diners, o encara que uolgues dir
acompayats aquest home. E que del comen-
150 çament que es dit *acompayats* leuas del co-
mençament aquella letra vocal *A.* E axj dirja
companyats aquell home. On en guerau de
bornell mes en vna sua cançço que comença

[col. 2.ª] E res sim fos agrat / tengut en la ·vª· cobla
155 on diu Cans me sia tot dessouengut quant
ay vençut, car sol jorn peylet drut e sinistra
ço quem dix mal estan sera tant pus en
p[re]s saguem quem ames no cuyg proues
que rem ujres mot jran sofrita pezan sufer
160 tant com mj volc, amor fayre mas pel cap
mon payre no seray confrayre. E enaçço com
ell dix *mon payre* fora segons lengatge pus
pla ditz *demon payre.* E axi leua la sillaba

149 i 150. *P corregeix* acompa[n]yats.
155. *M:* desovengue.

Eres, si · m fos a grat tengut,
en la quinta cobla, on diu:
145   C'ans me sia tot dessovengut
           Quant ay vençut,
           Car sol [un] jorn [m'a]peylet drut
           E, si m'estra
           Ço que · m dix, malestan sera,
150   C'anc, pus pres
           Aguem que m'ames,
           No cuyg proves
           Que re · m vires.
           Mout ira
155   · n Sofrira
           Pezan
           Sufertan
           Com
           Mi volc amor fayre;
160   Mas, pel cap *mon payre*
           No seray confrayre.
I en això, quan ell diu *mon payre*, fóra, segons un llen-
guatge més pla, dit *de mon payre*; i així lleva la síłłaba

143 i 145 a 161. Ed. KOLSEN, cançó, núm. 25, p. 130/1 a 138/9; estro-
fa V, p. 136; dóna la lliçó *Aissi m'es tot dessovengut;* però la de B.
d'A. coincideix amb la majoria dels cançoners: *Anz men;* però la for-
ma *sia* fa el vers hipermètric; la conjunció 'que' —*C'*, *Qu'*— apareix
a *S^t* (que és un cançoner català del s. XIV): *Quaisim.* El Ms. del *Mi-
rall* és en aquest passatge especialment confús; així és que interpret
segons P, però mantenc *Mout ira / ·n* (136), contra ell i Kolsen i d'a-
cord amb els cançoners *ABKQU* i *I* (Mout irra), coŀłacionats per Kol-
sen; també mantenc *Que re·m vires* (153) i *Com* (158). Tr.: «Ara, si
m'ho haguessin d'agrair» i «Que primer em sigui tot oblidat el que
he guanyat, car un sol dia em digué amant i, si em retira el que em
digué, mal fet serà, que mai, des que em va fer veure que m'estimava,
no crec que per part meva hagi estat culpable de cap infidelitat; molta
ira en sofriria, pensant, suportant [el record de] com ella va voler
atorgar-me el seu amor; però, pel cap del meu pare, no seré confra-
re, [cedint a un amor que només em prengui d'una banda (=que no
sigui correspost)]».

que es dita *de* denant la diccio que es dita
165 *mon payre.* E dix perço *mon payre* per ço
queli vengues la diccio pus curta e pus auj-
nent. E enaltre loch dix en Guerau de bor-
neyl en vna sua canço que commença Er
ansirets en xabellets xantars en la ·vjª· co-
170 bla que diu Er as nom letz can mj valgra
preyars clamar merce sifay en mos trobars
pus tant ses mamor afirxa quautra non quer
nen deman clamal merce quis quesxan aleys
cal de xausic, los foyls *Tracujats* e dir spes.
175 En axo que ell dix *Tracujatz* fora segons len-

[fol. 5 r.
col. 1.ª]

gatge pus pla dit *oltracujatz.* / E axi leua
la sillaba que es dita *ol* dauant *tracujatz* que
es la diccio. E axj dis tracujats perço que li
vengues la diccio per pus curta, e per pus
180 aujnent. E daltres motz han leuada sillaba,
o letra dauant diccio per pus coujnent a en-
galar diccions, o Rimes per aquesta figura.

Epentesis es ajustar letra o sillaba en mig
de diccio.

185 Laltra figura, o specia es dita Epentesis que
vol aytant dir com ajustar, en mig de diccio

172. *M*: quantra.
173. *Ms: una* q *tatxada entre* quis *i* quesxan.
181. *P corregeix* convinentment *per consell d'altres passatges del
text (ls. 206 i 261).*

98

de que va davant la dicció *mon payre*, i diu per això
165 *mon payre*, perquè li vengués la dicció més curta i més
avinent. I en un altre lloc diu En Guerau de Bornelh,
en una cançó que comença:

>Er' ausirets Enxabalits xantars,

en la sisena cobla, que diu:

170 >Eras no · m letz can mi valgra preyars,
>Clamar merce? Si fay, en mos trobars,
>Pus tant s'es m'amor[s] afrixa
>Qu'autra non quer n · en deman,
>Clama · l[h] merce. Qui que · s xan
175 >A leys, cui desxausir lec
>Foyls, *tracujats* e dispers.

En això que ell diu, *tracujats*, fóra, segons llenguatge
més pla, dit *oltracujats*; i així llevà la síl·laba *ol* davant
tracujats, que és la dicció. I així diu *tracujats*, per tal
180 que li véngui la dicció més curta i més avinent. I d'al-
tres mots han llevat una síl·laba o una lletra davant
una dicció per igualar més convenientment diccions o
rimes per aquesta figura

[3]

185   Epèntesi és ajustar lletra o síl·laba enmig d'una dicció.
L'altra figura o espècie es diu epèntesi, que vol dir

---

168 i 170 a 176. Ed. Kolsen, cançó, núm. 30, p. 166/7 a 172/3; tam-
bé a Riquer, *Trovadores*, I, p. 495 a 498, que reprodueix el text de Kol-
sen, amb algunes esmenes suggerides per Kurt Lewent, *Zum Text der
Lieder des Guiraut de Bornelh* («Biblioteca dell'Archivum Romanicum»,
sèrie I, vol. 26, Firenze, 1938); estrofa V, p. 170 Kolsen, 496 Riquer. Tr.:
«Ara oireu ajustades (Riquer: "cabales") cançons» i «Ara no em lleu
(=no m'és lícit), quan em valdria suplicar, demanar gràcia? Si fa! En
el meu trobar —tant s'ha obstinada la meva amor, que no en cerc ni
en deman d'altra— li demana gràcia, canti'l qui el canti, a aquella la
qual es permeté ofendre. Foll, presumptuós i dispers! [Trobaràs tot
el que cerques.]» La lliçó de Riquer/Lewent sembla que s'avé millor
amb la de B. d'A. que no la de Kolsen, acceptada per P sense retoc.
El primer vers d'aquesta cançó és citat pel Dant (*De vulgari eloquen-
tia*, II, 5) com exemple de vers decasíl·lab (*endecasillabo* per la mètrica
italiana), que és per ell un dels versos més excellents, més superbs:
Quorum omnium [*carminum*] *endecasillabum videtur esse superbius.*

letra o sillaba axj com quj volia dir *Emp[er]ador*. E que en mjg dela diccio que es dita Emperador metes ayta[1] letra com

190 es ·e· Axj dirja *empereador* o que volgues dir aquell Caualler *borna* be, e que en mig loch de aquella diccio que es dita *borna* be metes aytal sillaba que es dita *fo*. E que dixes *boforna* be. E de aquestes semblants a

195 aquestes. On en Gancelm faydits dix en vna sua canço quj comença pel joy del temps ques floritz / en la segona cobla que díu sitot ses *reuerdeitz* lo mon res quauja ne veya enaquella diccio que es dita *reuerdesitz* mes

200 al mjg aquella sillaba que es dita *es* vagan. Cor plus pla segons son lengatge fora dit *reuerditz* mes perço que la diccio li vengués pus longa e pus aujnent mes hi *reuerdesitz*. E daltres trobadors o poetes han mesa si-

205 llaba o sillabas o letra en mig de diccio moltes vegades per pus coujnentment engalar diccions, o rimes per la damunt dita figura. E aquest meseix Gancelm fayditz dix en vna altra canço que comença Amors que uos ay

210 fag en la segona cobla que dix Car si desirans de ben fayg muyr retrayg vos sera jasse que garir pograb pauch de be co sofratxos qui no ha manencia es eu suy ceyl acuy grans

[col. 2.ª]

---

189. *Ms. i M:* ayta.
198. *M:* quavia.
212. *M:* pogral.

tant com ajustar, enmig d'una dicció, una lletra o una síl·laba, així com qui volgués dir *Emperador* i que enmig de la dicció *Emperador* posàs una lletra com és *e*;
190 així diria *empereador*, o que volgués dir *Aquell cavaller borna bé*, i que enmig d'aquella dicció que és *borna* posàs una síl·laba com *fo*, i que digués *boforna bé*. I d'altres consemblants a aquestes. Així En Gaucelm Faiditz diu en una cançó que comença:
195   Pel joy del temps qu'es floritz,
en la segona cobla, que diu:
        Si tot s'es *reverdesitz*
        Lo mons, res qu'auja ne veya.
En aquella dicció que és *reverdesitz* posà al mig aquella
200 síl·laba solta que és *es*, perquè més pla, segons el seu llenguatge, fóra dir *reverditz*; però, per tal que la dicció li vengués més llarga i més avinent, hi posà *reverdesitz*. I d'altres trobadors o poetes han posada síl·laba o síl·labes o lletra en mig d'una dicció moltes vegades
205 per igualar més convenientment les diccions o les rimes, segons la damunt dita figura. I aquest mateix Gaucelm Faiditz digué en una altra cançó que comença:
        Amors, que vos ai forfag,
en la segona cobla, que diu:
210   Car, si desirans de benfayg
        Muyr, retrayg vos sera jasse;
        Que garir pogr' ab paucs de be:
        Co sofratxos qui no ha manencia,

195 i 197 a 198. Ed. Mouzat, cançó núm. 12, p. 131/6; estrofa II, p. 131. Tr.: «Per l'alegria del temps que és florit» i «Encara que tot el món s'ha reverdit, res que senti ni vegi...»
208 i 210 a 218. Aquesta cançó és d'Elias de Barjols, ed. Stronski, cançó núm. II, p. 4; estrofa II, p. 4. Tr.: «Amor, que us he faltat» i «Car, si em mor desitjós de benefici, sempre us en serà retret; perquè amb poc bé (=just amb una mica de benvolença) podria guarir: com l'indigent que no té propietats, jo som aquell per qui seria un gran profit, sols que pogués veure, Amor, que vós entre tostemps un dia accedíssiu en aquella qui em matà un poder semblant, de manera que li féssiu acceptar de grat les meves súpliques.»

obs seria aurja pro sol pogues veser amors
215 que uos entre tots temps vn dia acssetz en
leys quim auci tal poder quel *fasessatz* mos
[fol. 5 v. prechs en grat tener. E en ço que ell ditx
col. 1.ª] *fesessatz* mes aquella sillaba que es dita *se*
e[n]mig dela diccio que es dita *fesesetz*. Car
220 pus pla fora dir segons son linatge *fesetz*.
E aço feu ell per allongar la diccio, e queli
vingues en son rimar pus larga.

Síncopa es traure letra o silla[ba] de mjg
de diccio.

225 Laltra specie e figura es contrarja dela
damunt dita. E es dita síncopa quj uol aytant
dir co trahent de mjg ço es quj sots trau
letra, o sillaba de mig dela diccio. Axj com
quj volia dir *ociosetat*. E que leuas o tra-
230 gues del mjg de aquella diccio que es dita
ociosetat la sillaba ques dita el mig *os*. E axj
diria *ocietat* o encara que uolgues djr *Caua-*
ller. E que del mjg tragues la sillaba que es
dita *al*. E axj diria *Cauer* o daltres motz
235 semblantz daquestz. Don en folquet mes en
vna sua canço que comença Greu fera nuyls
homs fallença. En la quarta cobla que diu
Car eu ama cresença tant quant amey fo-
llamen en aço que vay disen be finjs quí

218. *P llegeix, sens dubte erròniament,* fesessutz *i esmena en* feses-
setz, *com també abans, en la cançó (l. 216).*
223. *Ms.:* silla, *sense ratlla damunt les dues* ll, *que suposaria un
abreujat, com més amunt (l. 193) i més avall (228).*
225. *M:* specie o figura; *P també corregeix en* o *la* e *del Ms.*

102

Es eu suy ceyl a cuy grans obs seria,
215   Auria pro sol que pogues veser,
Amors, que vos entre tots temps un dia
Acssetz en leys qui m'auci tal poder,
Que · l *fesessetz* mos prechs en grat tener.

I en això que ell diu *fesessetz* posà aquella síl·laba *se*
220 enmig de la dicció *fesessetz*, però fóra més pla segons
el seu llenguatge dir *fesetz*; i això ell ho va fer per allar-
gar la dicció i que li vengés més llarga en el seu rimar.
[4]

Síncopa és treure una lletra o síl·laba d'enmig d'una
225 dicció.

L'altra espècie o figura és contraria de la dita més
amunt. I es diu síncopa, que vol dir tant com «traent
d'enmig», això és, qui sostreu una lletra o una síl-
laba d'enmig de la dicció. Així com qui volgués dir
230 *ociosetat* i que llevàs o tragués del mig d'aquella dic-
ció que és *ociosetat* la síl·laba que diu *os*, i així diria
ocietat, o, encara, que volgués dir *cavaller*, i que del
mig tragués la síl·laba que diu *al*, i així diria *caver*, o
d'altres semblants mots consemblants a aquests. Així
235 En Folquet va posar un una cançó que comença

    Greu fera nuyls homs fallença,

en la quarta cobla, que diu:

    Car eu avia cresença,

---

221. Traduesc *linatge* per 'llenguatge' per una raó d'analogia (i és
més que possible que el copista s'erràs de paraula), però hauria po-
gut traduir 'mesura justa', segons LEVY, *Petit dictionnaire*, s. v. LINHAT-
GE, 3.ª accepció.

228. Una altra definició sintagmàtica, «traent d'enmig», com abans,
l. 85.

236 i 238 a 244. Ed. STRONSKI, cançó núm. XIII, p. 60/3; estrofa IV,
p. 62. En el v. 1 de l'estrofa citada (238) STRONSKI dóna la lliçó *pli-
vensa* ('assegurança', 'garantia') en lloc de *cresença*, tot i esser aquesta
la del major nombre de cançoners; no hi ha d'altres diferències remar-
cables. Tr.: «Difícilment farà ningú fallida» i «Car jo tenia confian-
ça, tant com vaig estimar amb follia, en això que vaig dient: bé
acaba qui mal comença; per això és que havia entès que, per provar
la meva inclinació, m'havíeu donat un mal començament...»

240 mal comença, per / ama entendensa que per
prouar mon talen *Magssetz* mal comença-
ment. Enaço que ell dix *Magssetz* trasch ell
la sillaba que es dita *ge*. E segons son len-
gatge fora pus pla dir *Maguessetz* mes perço
245 que la diccio li vengues pus curta e pus couj-
nent, mesi *Magsetz*. En Raymos de mjrauayls
dix en vna sua canço que comença loncs
temps ay hauts costretz. En la segona cobla
que diu Si damors me ue destorbers no men
250 tany clam ne rancurers que denant era (era)
meus lesgars, mas eu de totz mos desirers
ay seguit lo pus saluatge. Car uays tal domp-
nay mos prechs sors quel joy que mauers
preyra lors aren de ley ses tot jatge. En aque-
255 lla diccio que es dita *preyra* lors trasch ell
la sillaba que es dita *ze*. Que segons pla len-
gatge pus pla fora dir *prezeyra*, mes perço
que la diccio li vengues pus curta o pus auj-
nent mes hi *preyra*. E daltres trobadors motz
260 han treyta letra, o sillaba de mjg de diccio
per pus coujnentment egualar diccions o
rjms per aquesta figura damunt dita.

Laltra specie, o figura es dita peragoja que
vol tant dir com ajustan letra o sillaba en
265 fi dalguna diccio. Axj com quj uolia dir *se-*
nyor. E que en la fi dela dita diccio meses
·*e*· Axj diria *senyore* o que uolgues dir pe-

---

241. M: Magsetz.
250. Ms.: *repeteix* era; *la segona vegada* ea, *amb la* r *entre les
dues lletres, damunt, a la interlínia.* M: era era.
255. Ms.: trasch *amb la* s *que corregeix una primitiva* c.
263. P *corregeix* paragoja.

Tant quant amey follamen,
240 En aço que vay disen:
Bé finis qui mal comença;
Per qu'eu avi' entendensa
Que, per provar mon talen,
M'agssetz mal començamen.

245 En això que ell diu *M'agssetz* va treure la síl·laba *gue*, i,
segons el seu llenguatge, fóra més pla dir *M'aguessetz*;
però, perquè la dicció li vengués més curta i més con-
venient, va posar *M'agssetz*. En Raymon de Miravalhs
digué en una cançó que comença:

250 Loncs temps ay haüts cosirers,
en la segona cobla, que diu:
Si d'amors me ve[n] destorbers
no me · n tany clam ne rancurars
Que denant era meus l'esgars;
255 Mas eu de totz mos desirers
Ay seguit lo pus salvatge,
Car vays tal dompn' ay mos prechs sors
Que · l joy, que mavers *preyr'* alors,
Aten de ley ses tot jatge,

260 en aquella dicció que és *preyr' alors*, va treure la síl·la-
ba *ze*, que, segons el llenguatge pla, més pla fóra dir
prezeyra; però, perquè la dicció li vengués més curta o
més avinent, hi posà *preyra*. I d'altres trobadors, molts
han treta una lletra o una síl·laba d'enmig de la dicció
265 per igualar més convenientment diccions o rims per
aquesta figura damunt dita.

[5]

L'altra espècie o figura és dita paragoge, que vol dir

250 i 252 a 259. Ed. TOPSFIELD, cançó núm. XXV, p. 216/23; estro-
fa II, p. 218. Tr.: «Durant molt de temps he tengut preocupacions» i
«Si de l'amor em vénen pertorbacions, no me'n pertoquen penes ni
rancures, que davant tenia el que havia de considerar; però jo, de tots
els meus desigs, he seguit el més salvatge, que envers aquella dona
he elevat els meus precs, perquè l'alegria, que sense temor [de no obte-
nir-la] demanaria onsevulla, esper d'ella sense cap fiança».

rer. E que en la fi metes *a* axi dirja *perera,*
o *seruer.* E que metes ·a· a la fi diria *seruera*
270 o daltres moltz semblants a aquests. On en
ffolquet mes en vna sua canço que comença
xantan volgra mon cor descobrir. En la quar-
ta cobla qui diu adonchs dona puys may no
pusch sofrir los mals quen trach per vos
275 macis e ses merce maiatz quel mon non es
auers que *sense* vos me pogues en requir.
Et enaço que ell dix *sense.* E mes ell ala fi
la letra vocal que es dita ·e· vagan. Cor se-
gons pla parlar fora mils dit *sens* mes perço
280 quela diccio li vengues pus larga e pus auj-
nent mes hi *sense uos* allongat axi com hoit
hauetz. Encara en p. vidal mes en vna sua
canço que comença: Seu fos en cort on hom
[col. 2.ª]   tingues drecera. En la / quarta cobla que diu
285 E car no vey mes rayners de Marseyla sitot
me viu mon viure non es vida e malalt es
com souen recaliva gareix molt greu ans mor
sils mals dura donc suy heu mortz si axim
renouella aquest desir quim tol souen lalena.

275. *M: ses* merceres; quel mon nom es, *però resol un traç d'a-
breujament que hi ha damunt* no.

ajustar una lletra o una síl·laba al final d'alguna dicció;
270 així com qui volgués dir *senyor* i que a la fi de la dita
dicció posàs *e*, així diria *senyore*, o que volgués dir
perer, i que a la fi posàs *a*, així diria *perera*, o *server*, i
que posàs *a* a la fi, i diria *servera*, o d'altres mots con-
semblants a aquests. Així En Folquet va posar en una
275 cançó que comença:

Xantan volgra mon fin cor descobrir,

en la quarta cobla, que diu:

Adonchs, dona, puys may no pusch sofrir
Los mals qu'en trach per vos matis e sers,
280 Merce m'aiatz! Qu'el mon non es avers
Que, *sense* vos, me pogues enrequir.

I en això que diu *sense*, hi posà, a la fi, la lletra vocal
e solta, perquè segons el parlar pla millor fóra dits *sens*,
però per tal que la dicció li vengués més llarga i més
285 avinent hi posà *sense vos*, allargat, així com ho heu
sentit. Encara En Pèire Vidal posà en una cançó que
comença:

S'eu fos en cort on hom tingues drecera,

en la quarta cobla, que diu:

276 i 278 a 281. Ed. STRONSKI, cançó núm. VI, p. 31/4; estrofa IV,
p. 34. Tr.: «Cantant voldria descobrir el meu cor lleial» i «Així doncs,
dona, ja que mai no puc sofrir els mals que en trec per vós matí i
capvespre, teniu-me pietat! Que en el món no hi ha hisenda que, sense
vós, em pogués fer ric».

285/286. Aquest 'així com ho heu sentit' (a l'original, *axi com hoit
hauetz*), si no és una mera fórmula, que no repara si el coneixement
del tractat ha d'esser per lectura individual o destinada a un auditori,
ens pot fer pensar en el *Mirall* com a guia o manual de l'ensenyament
escolar, i justificaria la interrogació de P, p. XVII, «Berenguer maestro
di scuola?».

288 i 290 a 295. Ed. D'A. S. AVALLE, poesia núm. XLI, p. 372. Les
dissidències entre les lliçons d'Avalle i la del *Mirall* són lleus; una
d'elles, al v. 1 del poema: *dreitura* on el nostre Ms. diu *drecera*; es
tracta d'una catalanització, *drecera*, del mot occità *dreitura*, o *dre-
chura*, que també passà al català, *dretura*, sempre en el sentit de 'va-
liment per obtenir una cosa' o 'mitjà ràpid per arribar a un punt o
obtenir qualque cosa' (DCVB i DECLC, s. v. DRET). Tr.: «Si fos a la
cort on un home tengués valiment» i «I, com que no veig el meu Rai-
nier de Marsella, encara que m'ha vist, el meu viure no és vida; el

290 En aquesta diccio que es dit *lalena* mes ell
vagan la sillaba derrera que es dita *na*. Car
segons pla parlar mjls fora dit *lale*. Mas per-
ço que la diccio li vengues pus larga e pus
aujnent de rima mes hi *lalena*. En aquest sem-
295 blants daltres en molts lochs han allargades
diccions en la fi perço que li venguessen pus
coujnents llurs rimes. E aço per aquesta fi-
gura.

Laltra figura, o specie es contraria de la
300 dauant dita figura. E enaquesta figura ano-
menar ha molt hom errat. Car comjnalment
li disen síncopa e es son nom propi apoco-
pe, que uol dir aytant com tolrre, o leuar
dela fi dela diccio, o letra, o sillaba, axi com
305 quj volia dir los *ffranceses* volen fer aytal
[fol. 6 v. ardit. E que dela / diccio que es dita *ffran-*
col. 1.ª] *ceses* leuas dela fi la sillaba que es dita *es*.
E axi diria *ffrances* o quj volia dir *peyre*. E
que dela fi dela diccio que es dita *peyre* leuas
310 aquella letra vocal que es dita ·*e*· E axi diria
peyr. E [a] aquests eximplitz trobarets molts
motz semblants. On en Guerau de Bornell
mes en vna sua cançó qui comença: quant
la doussaura ses lutxa. En la quarta cobla
315 quj diu La nuyt quant la sons me clutxa
dorm *sob*[*r*]*arch* o sobre banch en aço que
dix *sob*[*r*]*arch* leua de aquella diccio dela fi

290. *M:* dir.
293/294. *M:* pus vinents.
303. *M:* con colrre; *en el primer mot resol un traç d'abreujament.*
311. *M:* e aquestes.
316 i 317. *M:* sobarch, *com el Ms.; també hi coincideix quan trans-*
criu la forma correcta, sobrarch *(l. 322).*

290 E, car no vey mon Rayner de Marseyla,
Sitot me viu, mos viures no m'es vida;
El malaltes com soven recaliva
Gareix molt greu, ans mor, si sos mal dura.
Donc suy heu mortz, si aix · m renovella
295 Aquest desirs qui · m tol sovent *l'alena*.

En aquesta dicció que és *l'alena*, posà ell, solta, la síl·laba darrera, que és *na*, perquè, segons parlar pla, millor fóra dit *l'alè*; però, per tal que la dicció li vengués més llarga i més avinent de rima, hi posà *l'alena*. Sem-
300 blants a aquests, d'altres en molts de llocs han allargades les diccions al final perquè els venguessen més convenients llurs rimes. I això per aquesta figura.

[6]

L'altra figura o espècie és contrària a la figura abans
305 dita. I en anomenar aquesta figura molts han errat, perquè comunament li diuen síncopa i el seu nom propi és apòcope, que vol dir tant com treure o llevar del final de la dicció o bé lletra o síl·laba, així com qui volgués dir *Los francesos volen fer aital ardit*, i que de
310 la dicció *francesos* llevàs del final la síl·laba *os*, i així diria *francès*; o qui volgués dir *peire*, i que del final de la dicció *peire* llevàs aquella lletra vocal que és *e*, i així diria *peir*. I trobareu molts de mots semblants a aquests exemples. Així En Guerau de Bornell, en una cançó que
315 comença:

Quant la douss' aura s'eslutxa,

en la quarta cobla, que diu:

malalt, que recau sovint, difícilment es guareix, ans es mor, si el seu
mal dura. Doncs jo som mort, si així se'm renovella aquest desig que
sovint em treu l'alè».
316 i 318 a 319. Ed. KOLSEN, cançó, núm. 18, p. 90/1 a 94/5; estrofa
IV, p. 92. Tr.: «Quan el dolç (Kolsen: *bruna*, que tradueix 'düstere'
—«fosca, ombrívola»— i no dóna variants a l'ap. crític) temps s'aclareix» i «La nit, quan la son m'acluca [els ulls], dorm damunt una
arca o damunt un banc, [fins que em fan mal els dos costats, i això
destrueix la meva valença...]».

aquella letra vocal que es dita ·a· Cor segons
pla parlar mjls fora dit *sobrarcha*. Mas per
320 ço quela diccio li vengues pus curta e pus
aujnent leuan la dita letra e mes hi *sobrarch*.
Exament en Guerau de Bornell mes en vna
sua altra canço que comença Sim sentis fi-
sels amichs per ver *en curzer* Amor enço que
325 ell dix *encurzer* Amor leua ell dela diccio que
es dita *Encurzer* de la fi la letra que es
[col. 2.ª] dita ·a· Cor segons pla parlar degra dir *En-
cursera* Amor, mes perço que la diccio li
vengues pus curta e pus aujnent, mes hi *en-
330 curser* molts daltres trobadors, o poetas han
leuades letra o sillaba dela fi dela diccio per
aquesta figura.

Altra figura, o specie hi ha que es dita Epis-
ceu que uol aytant com recomptament de
335 diccio ja dita cant hom recompta vna diccio
per dues vegades sens tot mig axj com qui
deya *leua leua* o que dixes *ve ve*, o daltres
semblants. On Naymerich de peguyla en vna
sua canço que comença per solaç daltruy xan
340 souen, en la quinta copla qui díu dona mer-
ce merce solament sofrisatz cun pauch merce-

110

La nuyt, quant lo sons me clutxa
Dorm *sobr' arch'* o sobre banch.

320 En això que diu *sobr'arch* llevà d'aquella dicció, al fi-
nal, aquella lletra vocal *a*, perquè segons el parlar pla
millor fora dit *sobr'archa*; però, per tal que la dicció
li vengués més curta i més avinent, en llevà la dita
lletra i hi posà *sobr'arch*. Igualment En Guerau de Bor-
325 nelh posà en un altra cançó que comença:

Si · m sentis fisels amichs,
Per ver *encurzer'amor*.

En això que ell diu *encurzer'amor* llevà de la dicció que
és *encurzer*, al final, la lletra *a*, perquè, segons el par-
330 lar pla, deuria dir *encurzera amor*; però, per tal que la
dicció li vengués més curta i més avinent, hi posà *en-
curzer*. Molts d'altres trobadors o poetes han llevades
lletra o síl·laba del final de la dicció per aquesta figura.
[7]
335 Una altra figura o espècie hi ha que s'anomena *episceu*,
que vol dir tant com repetició de la dicció ja dita, quan
un repeteix una dicció dues vegades sense res enmig,
com qui digués *lleva lleva* o que digués *ve ve*, o d'al-
tres consemblants. Així N'Eimeric de Peguilhan diu en
340 una cançó que comença:

Per solaç d'altruy xan soven,

326 a 327. Ed. KOLSEN, cançó, núm. 27, p. 148/9 a 154/5. Tr.: «Si
sentís que li era amic fidel, per ver n'acusaria l'amor; [però ara me
n'estic, per por que no em doblàs la vergonya i el dany].»
335. *Episceu*, 'epizeuxis'; Averçó: *episeuzi, epizeuzis* i *apiseuzis* (*Tor-
cimany*, I, p. 289 i 297); per les denominacions tengudes avui per cor-
rectes d'aquests termes de retòrica, vegeu la *Introducció*, p. 18 ss.
341 i 343 a 350. Ed. SHEPARD i CHAMBERS, poema núm. 41, p. 197 i
198. Les discrepàncies amb la lliçó de B. d'A. són lleus. Tr.: «Per solaç
d'altri cant sovint» i «Senyora, per mercè, suportau solament que mer-
cenegi una mica de mercè, i que una mica afranqueixi, mercenejant,
la vostra dura inclinació envers mi, que jo som mercenaire sempre i
suplicador de mercè; mercenejant som i seré per sempre el vostre
home, clamant: Mercè, mercè, mercè!». No cal dir que el verb «mer-
cenejar» és una fàcil invenció meva; hauria pogut usar «mercejar»,
registrat pel DCVB, que el qualifica d'antic, o sigui, en desús en el

ges merces e cun pauch lo franx es mer-
ceyan vostre dur talen vaysme que suy merce-
nayre totz temps e merce clamayre merceyan
345 suy, e seray per rasse vos trom claman *mer-
ce merce merce.* Enaço que ell dix *merce
merce merce.* Aquesta merce per tres vega-
des sens tot mjga ho poch fer per la dita
[fol. 7 r.   figura, o specie. Cor enaltra manera / sem-
col. 1.ª] 350   blaria vici o falliment de paraules. On en p.
vidal per aquesta figura mes en vna sua can-
ço qui comença pus que damors nom pusch
deffendre, en la quarta cobla qui diu axi:
Col lop quant uol de letra appendre e anch
355 null temps nol poch hom far entendre ne
·a· ne ·b· ne ·c· ne ·d· ne ·l· mays solament
anyell anyell. E en aço que ell per dues ve-
gades mes anyell se salua per la dita figura.
Laltra specie, o figura es dita antifrasis quj

343. M: calen.
345. M: rase.
357. Ms.: aco.

en la quinta cobla, que diu:

> Dona, per merce, solament
> Sofrisatz c'un pauch merceges
345 Merces, e c'un pauch afranques
> Merceyan vostre dur talen
> Vays me, qu'eu suy mercenayre
> Totz temps e merce clamayre;
> Merceyan suy e seray per jasse
350 vostr'om, claman: *Merce, merce, merce!*

En això que diu *mercè, mercè, mercè*, aquesta mercè tres vegades repetida sense res entremig ho pogué fer per la dita figura o espècie, perquè d'altra manera semblaria vici o fallida de paraules. Així en Pèire Vidal,
355 per aquesta figura, va posar en una cançó que comença:

> Pus que d'amor no · m pusch deffendre,

en la quarta cobla, que diu així:

> Co · l lop quant vol de letra apprendre,

---

llenguatge actual, i el defineix simplement com a «regraciar», quan significa justament lo contrari, és a dir, no «agrair», sinó «demanar gràcia», almenys en aquesta estrofa d'Aimeric de Peguilhan i en els textos adduïts pel Diccionari com a autoritats, el primer del qual, de Llull, és exactament això: «Amorosament e mercejant vos deman, Sènyer, do de gràcia»; la paraula *mercè* en la poesia dels trobadors té un color especial, com a mot propi del llenguatge amorós.

356 i 358 a 361. Cançó citada per RIQUER, *Trovadores*, II, p. 865; és relacionada per PILLET i CARTENS, 364, *36 a*; Avalle no la recull en la seva ed.; Anglade n'accepta la possibilitat d'atribució. Tr.: «Ja que d'Amor no em puc defensar» i «Com el llop, quan vol aprendre de lletra, i mai en cap moment no li poden fer entendre ni a, ni be, ni ce, ni de, ni ell, sinó tan sols anyell, anyell, anyell». Respect la triple repetició del mot *anyell* només per avenir-me amb els filòlegs que han esmentat aquest text; però amb dues vegades que es digui n'hi ha prou: no és imprescindible que el vers sigui un decasíllab, com els dos precedents; pot tenir només vuit síllabes com el primer de l'estrofa i el primer del poema; I. FRANK, *Répertoire*, 130-2, s'equivoca en donar l'esquema mètric d'aquesta estrofa: segons ell, a 10′ a 10′ b 10 b 10; en realitat és a 8′ a 10′ b 10 b 8, sense necessitat d'afegir un tercer *anyell*; pensem, d'altra banda, que la sola font transmissora d'aquest fragment és el *Mirall* i B. d'A. insisteix (l. 362) en la doble menció. El nom de la lletra *l* devia esser *ell* per B. d'A. o pel copista del seu tractat, però en llengua occitana el nostre «anyell» és «anhèl», amb *e* oberta i *l* no palatalitzada.

vol aytant dir com pausar lo contrari al sem-
360 blant. E quj vol parlar per contrari e per
eximpli, axi com aquells quj dien ala corney-
la blancha, o a vn auol hom que hom li
diga fort sotz bo la intencio es contraria. On
en Guerau de bornell feu la primera canço
365 per lo contrari, e en G. de san layder mes
en vna sua canço que comença Assay satz
damor be parlar, en la segona cobla que diu
per quensenyaran azamar vosaltres bons
[col. 2.ª] dompneyadors e si crezets / mon consellar
370 eus faray damor conquistar tot aytant com
vullats de ars, e sia en gay pendut o ars qui
no men creyra, cor bons laus nauran ceylls
quj creyran las claus. E dix en la terça Si
uolets dompnas gasanyar quant volrrets ques
375 fayzen amors sius fan aule respost nj auar
uos las pendrets a menaçar, e si uos fan res-
post pijor datz los del puny per mig les nars.
E si son brauas siatz braus ab gran mal nau-
rets gran repaus. Encar uos vull mays con-
380 sellar. E puys segueys se pel contrari. On per
aquesta specie, o figura es entes tot per lo
contrari. Perque per aquestes e per altres
species o figures pot hom sostrer o ajustar
en diccio en son trobar o sostenjr replica-

E anch null temps no · l poch hom far entendre
360 Ne a, ne b, ne c, ne d, ne l,
Mays solament *anyell, anyell, anyell.*

I en això que ell posa *anyell* dues vegades se salva per aquesta figura.

[8]

365 L'altra espècie o figura és dita antífrasi, que vol dir
tant com posar el contrari en lloc del semblant; i qui
vol parlar per contrari fa, per exemple, com aquells que
diuen blanca a la cornella o a un mal home que li di-
guin *Molt bo sou*: la intenció és contrària. D'aquesta
370 manera En Guerau de Bornelh va fer la primera cançó
pel contrari i En Guilhem de Sant Leidier va posar en
una cançó que comença:

Assatz say d'amor be parlar,

375 en la segona cobla, que diu:

Per qu'ensenyaray az amar
Vos altres bons dompneyadors;
E si crezets mon consellar,
E · us faray d'amor conquistar
380 Tot aytant com vullats de cors.
E si' ongan pendutz o ars
Qui no me'n creyra; cor bon laus
N'auran ceylls qui creyran las claus.

E dix en la terça:

370/371. Entenc que Guerau de Bornelh va esser el primer a va-
ler-se d'aquesta figura.

373 i 376 a 383. La cançó és de Raimbaut d'Aurenga, ed. PATTISON,
cançó núm. XX, p. 134; també a RIQUER, *Trovadores*, I, p. 433. Tr.:
«Prou sé parlar bé de l'amor» i «Per la qual cosa ensenyaré d'estimar
a vosaltres, bons festejadors; i si creis els meus consells, us faré con-
quistar tant d'amor com vulgueu aviat. I que sigui enguany penjat
o cremat el qui no em creurà; perquè bona lloança n'hauran, aquells
qui creuran en les claus [dels meus ensenyaments].» I «Si voleu gua-
nyar les dones, quan vulgueu que us facin amors (Pattison: *honors*),
si us fan una mala resposta hostil, preneu-les vosaltres amb amena-
ces; i si us fan una resposta pitjor, pegau-los al mig del nas; i si són
braves, sigau braus: amb gran mal tendreu gran repòs». «Encara us
vull aconsellar...»

385 ment e de diccio, o contrarjetats saluant que sustancia o proprietat, o entenjment noy sia mudat nj corromput.

Aci comencen los vicis del Mirall de trobar.

390 La terça part es dels vicis que deuen esser fort esqujuatz en versificar, o en trobar, o en rjmar dels quals no [se] son guardats alcuns / en llurs trobars, o rimar, mas perço cor es greu cosa acell qui nou sap re-
395 prendre e no ho pot esmenar raho me porta que men pas leu. Car abastara que diga en partida que son vicis en trobar, o en rimar, en poques e breus paraules, e que per aquestes entena hom les altres.

400 Lo primer vici es barbarisme que uol aytant dir com falç parlar en estrayn lengatge. E enaquest vici specialment erren aquells quj no entenen ço que dien e axj es los estrayn lengatge pusque nou entenen. E per exjmpli
405 axj com quj uolia dir *Caualler*. E que fos laccent sobre la primera sillaba. E axj dirja *Caualler*, o que volgues dir *dona*. E que sobre la sillaba que es dita *na* feses laccen. E axj dirja *dona*. Axj matex daltres motz qui
410 son semblants a aquests. Enaquest vici han pochs errat en versificar, o en trobar, mes molts hi han, oy poden leu errar en lo pronunciar. Si no / entenen ço que dizen per

395. P: abasta; però en el Ms. es veu clara la ratlla o el senyal d'abreujament que supleix la síl·laba -er o -ar àtona; M: abastar i potser una lletra més, a, confusa amb la retxa que delimita el marge de cada pàgina.

401. M: eren; P llegeix cre amb ratlla, senyal d'abreujament, a dalt.

406. P: càvaller.

408. M: doná; P: donà.

385 Si volets dompnas gasanyar,
　　　　　Quant volrrets que · us fayzen amors,
　　　　　Si · us fan aül respost ni avar,
　　　　　Vos las pendrets a menaçar;
　　　　　E si vos fan respos pijors,
390　　　Datz les del puny per mig las nars;
　　　　　E si son bravas, siatz braus:
　　　　　Ab gran mal n'aurets gran repaus.
　　　　　Encar vos vull mays consellar...,
i després se segueix pel contrari; de manera que per
395 aquesta espècie o figura tot és entès pel cap contrari.
Perquè, per aquestes i per altres espècies o figures,
hom pot sostreure o afegir en una dicció del seu tro-
bar, o sostenir repetició de dicció, o contradicció, guar-
dant que la substància o propietat o intel·ligència no
400 siguin canviats ni corromputs.
　　[III]
　　Aquí comencen els vicis del Mirall de trobar.
La tercera part tracta dels vicis que deuen esser ben
evitats en versificar o en trobar o en rimar; dels quals
405 no se n'han guardats, en llurs trobars o rimar, però,
per això, perquè és cosa greu que el trobador no ho
sàpiga reprendre o no ho pugui esmenar, la raó em por-
ta a passar-me'n fàcilment. I així bastarà que digui en
part què són vicis en el trobar o en el rimar amb po-
410 ques i breus paraules, i que per aquestes entenguin els
altres.
　　[1]
　　El primer vici és barbarisme, que vol dir tant com par-
lar fals en llenguatge extern. I en aquest vici erren

　　404 ss. Si no es té una certa predisposició per la composició poè-
tica, ve a dir B. d'A., un cert instint de trobador, debades voldrem
suplir aquesta mancança amb consells i regles de preceptiva.
　　414. Estrany: traduesc 'extern', en el sentit de «foraster», perquè
crec que s'avé amb la intenció del tractadista: són normalment la
gent que ve de fora, externa, la que comet barbarismes; més avall
(416), estrany, que mantenc.

art o per vs de bell pronunciament on tot
415 hom sen degra fort pendre guarda en son
parlar, o pronunciar, o ordenar, o liger sobre
que deuen fer laccent. Car ab mal accentar
los pot hom leu gitar de llur entenjment e
de llur significat.

420 Lo segon vici es dit solacisme· E vench de
vna Ciutat que ere dita Sale. E com venjen
en Roma aquells de aquella Ciutat cresien
parlar pla e no ordenauen les diccions axj
com deujen, daquj pres aquest vici nom. E
425 per eximpli axj com qui volia dir *dona blan-
cha.* E que dixes *dona blanc,* o que volgues
dir *bell es lo Caualler.* E que digues *bella
es lo Caualler.* E daltres semblants a aques-
tes diccions tant es manifest aquest vici que
430 quasi tot hom sen es guardat en son trobar,
o versificar, cor no tantsolament es vici per
si, ans es contra regla de gramatica.

Lo terç vici es dit pleonasme que vol dir
[fol. 8 r. aytant com / diccio sobre vagant de vn me-
435 tex significat. E per eximpli axi com qui
desia *yo he vist ab mos hulls aytal cosa* o
que dixes *ab la mja boca ho dix yo aço* o dal-
tres semblants a aquest.

Lo quart vici es dit amfibolia que vol dir
440 aytant que com alguna raho o diccio es po-
sada quela senja o significat pot esser entes
en dos entenjments. Axj com qui deia *en
aytal terra mengen los cans per fam* o en-
cara que dixes *Lo pa menjal ca* o axj que dix
445 en Peyrols en vna canço que comença Ay las
quo suy pensius e consiros. En la quinta

420. M: Salé; P corregeix en Sole.
440. M: senia; P: sentencia, *sense cap comentari.*
443. M: menial ca.

118

415 especialment aquells qui no entenen el que diuen, i així
el llenguatge els és estrany, perquè no l'entenen. Per
exemple, com qui volgués dir *cavaller* i posàs l'accent
sobre la primera sídaba, i així diria *càvaller*; o que vol-
gués dir *dona*, i que fes l'accent sobre la sídaba *na*, i
420 així diria *donà*. Així, de la mateixa manera, es poden
retreure altres mots que són semblants a aquests. En
aquest vici, pocs han errat en versificar o en trobar;
però molts hi han [errat] o hi poden errar fàcilment
en la pronunciació, si no entenen el que diuen per art
425 o per ús de bella pronunciació, que tothom n'hauria de
prendre cura, en el seu parlar o pronunciar o ordenar
o llegir, d'on cal posar l'accent. Perquè amb una mala
accentuació es poden treure els mots del seu enteni-
ment i del seu significat.

430 [2]
El segon vici es diu solecisme, i ve d'una ciutat que
li deien Sole; i quan venien a Roma els d'aquella ciutat
creien parlar pla i no ordenaven les diccions així com
devien: d'aquí va prendre nom aquest vici. Per exem-
435 ple, així com qui volgués dir *dona blanca* i que digués
dona blanc, o que volgués dir *bell és el cavaller*, i que
digués *bella és el cavaller*; i d'altres consemblants a
aquestes diccions. Aquest vici és tan manifest, que quasi
tothom se n'és guardat en el seu trobar o versificar,
440 car no tan solament és vici per si, ans és contra regla
de gramàtica.

[3]
El tercer vici es diu pleonasme, que vol dir tant com
dicció sobrera d'un mateix significat. Així, per exem-
445 ple, com qui digués *Jo he vist amb els meus ulls tal*
cosa, o que digués *Amb la meva boca dic jo això*, o d'al-
tres consemblants.

421 a 427. Dissentesc, en aquest passatge, una mica de P; ell no
supleix *errat* (423), que em sembla necessari per la bona comprensió
del text, i estableix una puntuació diferent de la nostra; vegeu la
Introducció, p. 24,

119

cobla que diu Es eu nagues ne solaç ne res-
pos ne res calleys degues en grat *caser* pot
esser en dos entenjments. Car totes vegades
450 que hom diga *caure* o *caser* no signifiquen
be, ans paren tota vja gravioses. E axj pot
hauer dos signjficats aytant tost mal com
bo, o encara axj com dix en bernat deuent
adorn en la sua cançò. Que comença. No nes
[col. 2.ª] 455 marauella seu xan, en la vijª· cobla que diu
Bona dona r us non deman mays quem pren-
dats / per serujdor *queus serujray quo bon
senyor*. En ço que ell diu *queus serujray qo
bon senyor* pot hom entendre que ell la ser-
460 ujrja co bon senyor que ell lj seria, o axi
com bon senyor deu hom serujir cor plus
pla fora dit *que yous serujre axi con hom
deu serujir bona dona*. E maiorment com en
lo començament de la cobla comença bona
465 dona.

Lo quint vici es tantologia que vol dir aytant
com ajustament de diccio sobre vagan duu
matex significat axj com qui deya *En mi*

---

452. *Ms.: en aquest punt, ocupant l'alçada de dues retxes, una altra
maneta, indicant el text, acompanyada aquesta vegada de la paraula
Nota (potser Notar, ja que només diu Not i un signe d'abreujament);
en el text, entre bo i o encara, hi ha dues retxes obliqües, que pot-
ser marquen el punt al qual fa referència la mà.*

459/460. *M: que ell li serviria.*

466. *P corregeix en tautologia.*

467/468. *M: dun matex; P llegeix dun i veu la ratlla d'abreviació que
supleix la e de matex (al Ms. matx) damunt la a; en realitat cau sobre
bona part de la m i de tota la a.*

El quart vici es diu amfibòlia, que vol dir tant com
450 que alguna raó o dicció és posada de manera que el
sentit o significat pot esser entès amb dos enteniments.
Així com qui digués *En tal terra mengen els cans per
fam*, o, encara, que digués *El pa menja el ca*, o així com
digué En Peyrols en una cançó que comença:

455   Aylas! Quo suy pensius e consiros,
en la quinta cobla, que diu:
     E s'eu n'agues ne solaç ne respos,
     Ne res c'a lleys degues en grat *caser*,
pot esser entès en dos sentits, perquè sempre que di-
460 guem *caure* o caser no tenen un significat net, ans re-
sulten sempre enutjoses; i així hi pot haver dos signi-
ficats, tantost dolent com bo. O, encara, així com diu
En Bernat de Ventadorn en la seva cançó:
     Non es maravella s'eu xan,
465 en la setena cobla, que diu:
     Bona dona, pus non deman
     Mays que · m prendats per servidor,

451. P interpreta *senja* del Mss. com a 'sentència'; però Averçó
també parla del «nom e seny e significació» de les lletres i del seny
de les paraules (*Torcimany*, I, p. 34, 31, 236, passim).

455 i 457 a 458. És una cançó d'Izarn Rizol, publicada per C. Appel.
Hi ha qualque diferència entre el text d'Appel —que només s'ha con-
servat en un ms., el *C*, el qual l'atribueix a I. Rizol— i el de B. d'A.:
per exemple, *denhes* en lloc de *degues* (458). Tr.: «Ai! Com (Appel:
tant) estic capficat i consirós» i «I si jo en tengués solaç i repòs o
res que a ella li hagués de caure en gràcia, [m'hauria alliberat, amb
tant d'afecte, d'un dolor que em posseeix, dona, per vós, que s'ha
enfortit tant en el meu cor i em fa sospirar tan fort i doler, que em
meravell com em puc tenir dempeus, de tal manera m'afebleix i em
fa tremolar i fondre].» *Caure* o *caser* tenen, més aviat, un significat
negatiu que no s'avé amb el sentit positiu de la gràcia, del plaer; cf.
la contraposició del mot positiu «esper» i del negatiu «treballs», ad-
duïda per B. d'A. com a exemple del vici d'assirologia (489).

464 i 466 a 468. Ed. M. Lazar, cançó núm. 1, p. 60/1 a 62/3; estro-
fa VII, p. 62; també a Riquer, *Trovadores*, I, p. 409 a 411. Tr.: «No
és meravella si cant» i «Noble senyora, no us deman res sinó que em
prengueu per servidor, que us serviré a manera de gran senyor, [sigui
quin sigui el guardó que en tengui]».

matex fiu aytal cosa. E aço dix en Ramon
470 de mjrauaylls en vna sua cançço que comen-
ça: Cell quj no vol ausir sino xansos de nos-
tra companya guart en la terça cobla que
dju Ben haia qui primer fos celos que cor-
tes mester saup far que gelosiam fay garar
475 de mals parlars e denujos e de jelosiay,
apren que *me meteus* nay heu defes. Car
enaço que ell dix que *me meteus* nay ajusta
ell diccio sobre vagant aquell *me* primer que
be li bastara que ell dixes que *me* nay heu
480 defes. E si rjma li vengues trop breu sercas
[fol. 8 v. altra manera o figura, / cor ell mes deles
col. 1.ª] dues diccions la vna sobreuagant. E axi com
dix Neymerich de peguila en vna sua cançço
que comença Amor a uos metexam clam de
485 uos.
Lo vj[e.] vici es dit assirologia que uol dir
aytant com alcuna diccio es pausada no pro-
priamen axi com qui volia dir *temor* de *tre-
ball.* E que dixes yo *sper trebaylls,* o que
490 dixes *aquell hom tot quant diu se menja* o
daltres diccions que son dites no propria-
ment o axj com dix en ffolquet en vna sua
cançço que comença Xantan volgra mon fin

476. *Ms.: me meteus, subratllat, escrit sobre un raspat, si no tot
el mot, almenys la e de me i la m de meteus.*

477. *Ms.: me meteus, subratllat, com abans, amb la primera e de
meteus escrita sobre un raspat. (A la nota de P sobre aquest punt,
p. 28, li manca la indicació de la línia, 586 de la seva ed., sense la
qual la nota sembla referir-se a la l. anterior.)*

489. *P: per trebaylls en cursiva, sense cap observació; això no
obstant, en el Ms. hi ha un signe davant per que no fa part del traç
del subratllat, sinó del text que se subratlla. (Aquests subratllats del
Ms. són rematats amb dos trets verticals que deixen la dicció remar-
cada closa per tres costats: el de sota, amb el subratllat propi, ho-
ritzontal, i els verticals d'esquerra i dreta.) M llegeix com nosaltres,
sper treballs; Llabrés interpreta yo e per treballs. (Vegeu, d'altra ban-
da, la Introducció, p. 35.)*

qu'e' · us serviray quo bon senyor.

En això que diu, qu'e' · us serviray quo bon senyor, es
470 pot entendre que la serviria com a bon senyor que ell
li seria, o així com un bon senyor deu servir; perquè
més pla fóra dit que jo us serviré així com es deu ser-
vir una bona dona, i majorment que en el començament
de la cobla comença per bona dona.

475 [5]
El quint vici és tautologia, que vol dir tant com afe-
gitó d'una dicció sobrera d'un mateix significat, així com
qui digués En mi mateix vaig fer tal cosa. Això diu En
Ramon de Miravayls en una cançó que comença:

480   Cell qui no vol ausir xansos
           De nostra companya · s guart,
en la tercera cobla, que diu:
           Ben haia qui prim fes celos,
           Que tan cortes mester saup far;
485   Que gelosia · m fay gardar
           De mals parlars e d'enujos.
           E de jelosi' ay apres
           Que me meteus n'ay heu defes.

Perquè en això que diu que me meteus n'ay afegeix una
490 dicció sobrera a aquell me primer, que bé li bastaria
que digués que me n'ay heu defes; i si la rima li ven-
gués massa curta, que cercàs una altra manera o figura,
perquè de les dues diccions, en va posar una de sobre-
ra. I així, igualment, com diu N'Eimerich de Peguilhan
495 en una cançó que comença:

480 a 481 i 483 a 488. Ed. TOPSFIELD, cançó núm. XXXII, p. 264/
71; estrofa V, p. 267; l'estrofa és també retreta per Riquer, Trovado-
res, II, p. 985 a 986, en el comentari preliminar als textos del troba-
dor. Tr.: «Aquell qui no vol sentir cançons, que es guardi de la nos-
tra companyia» i «Benhaja el qui primer es va fer el gelós, que tan
cortès ofici sap fer; perquè la gelosia fa que em guardi de gent
que parla malament i d'avorrits. I de la gelosia he après de no estar
jo mateix [sinó al servei d'una, que no en desig cap altra, i àdhuc
m'estic de festejar]».

123

cor descobrir. En la terça cobla que diu Pero
495 res als no nay mas lo desir. Lo nay doncs
prou molt es grans mos poders, e doncs
per quem vull del plus enantir. Car son bell
ris ab sa douça semblança *pax mos hulls* tan
magradal vesers enço que ell dix *paix mos*
500 *hulls* aquesta diccio es posada no propria-
ment. Car ab nenguna sensualitat no pot
hom esser past, mes ab la boca, ne ueser
mes ab los hulls, ho encara axj com dix Ney-
merich de pugujla en vna sua canço que
[col. 2.ª] 505 comença: / Amor auos matexam clam de
uos. En la segona cobla que diu E fay be
pauc desforç so sabets uos e gran ergull e
maly ensenyamen cell qui celuy combat que
nos deffen que es peccat. E auol venjances.
510 Mas uos faytz de me tot atressi. Com cell
quil pres rete *El mort auci*. Enaquesta diccio
que ell dix *El mort auci* fon posada o dita
no propriament perço cor null hom no pot
lo mort aucir, mas lo viu pot be aucir.
515 Laltra vici es appellat yats, que no deu hom
metre vocal denant vocal axj com quj dehia
dona amada o que dixes *la dona* atrobada, o
altres semblants a aquestes ho axj com dix
en Peyroyls en vna sua canço que feu que

---

494. *Ms.:* Po, *amb senyal d'abreujament, un traç creuant el pal
vertical de la* p; *M:* po.
497. *Ms.:* p qm, *amb els corresponents signes d'abreujament; M:*
per quam.
500/501. *M:* propiament; *al Ms.* ppament, *amb senyals que supleixen*
ro *i* ri.
509. *M:* pecat; veniances.
513. *M:* propiament, *com a la l.* 500/501.

Amors, a *vos metexa* · m clam de vos.

[6]

El sisè vici és dit assirologia, que vol dir tant com que alguna dicció és posada impròpiament, així com qui
500 volgués dir *temor de treball* i que digués jo *esper treballs*, o que digués *aquell home tot quant diu se menja*, o d'altres diccions que es diuen impròpiament. O així com diu En Folquet en una cançó que comença:

Xantan volgra mon fin cor descobrir,
505 en la tercera cobla, que diu:

Pero res als no · n ai mas lo desir.

Non ay doncs prou? Molt es grans mos poders
...

E doncs per que · m vull del plus enantir,
510 Car son bell ris ab sa douça semblança

Mi pax mos hulls, tan m'agrada · l vesers?

En això que diu, *paix mos ulls*, aquesta dicció és posada impròpiament, perquè amb cap dels sentits corporals no pot esser ningú alimentat més que amb la
515 boca, ni veure més que amb els ulls. O, encara, així com diu N'Eimerich de Peguilhan en una cançó que comença:

Amors, a vos metexa · m clam de vos,
en la segona cobla, que diu:

496. Ed. SHEPARD i CHAMBERS, cançó núm. 7, p. 67 a 68. Vegeu infra que B. d'A. torna esmentar aquesta cançó. Tr.: «Amor, a vós mateixa em plany de vós.»

500/501. Vegeu, per *esper treballs*, el que hem dit més amunt (n. a la l. 458); l'exemple sembla suggerit per sant Isidor (vegeu la *Introducció*, p. 24).

504 i 506 a 511. Ed. STRONSKI, cançó núm. VI, p. 31/4. Tr.: «Cantant voldria descobrir el meu cor lleial» i «Però cap altra cosa tenc més que el desig. No en tenc prou, doncs? Molt gran és el meu poder (...) I doncs, per què em vull exalçar més, si la seva bella cara amb el seu dolç aspecte em peixeix els ulls, tant m'agrada veure-la?».

518 i 520 a 525. Vegeu supra, 496. Els cançoners col·lacionats pels editors donen una variant del v. 6 (525): *com cell qui·l pres repren*, amb la qual l'exemplificació del vici seria com a doble. Tr.: «I fa ben poc esforç, això vós ho sabeu, i [mostra] gran orgull i mal exemple aquell qui combat el qui no es defensa; perquè és pecat i mala

125

520 comença Estat ay com hom sperdutz. En la
quinta cobla que dju: Madona fon al comen-
car bo e de bella companya, perço la dey
may amar que sim fos *fere straya*. Enaques-
tes dues diccions mes ell dues vegades aques-

[fol. 9 r. 525 ta letra ·e· en la diccio que [es] dita *fere*. /
col. 1.ª] E apres dauant aquella matexa letra ·e· en
la diccio ques seguex *estranya*. E axj mes ·e·
vocal dauant vocal. Com dix *fere stranya* o
encara axj com dix en bernat de ventadorn

530 en vna sua canço que comença: Ab joy mou
lo vers el començ. En la terça cobla que diu
de vna res ma onda mos sens canch nulls
homs nom enqujs queu volenters no ljn men-
tis. Car nom par bos enseyamens ans *folie*

535 *enfansa* en ço que ell dix *folie enfansa* posa
vna vocal denant vocal.
Altra vici hi ha que deu esser fort esqujuat
que es metatisme ço es saber que quant dic-
cio fenex en *m·* que la diccio seguen no deu

540 començar en vocal, axi com qui desía *ama-
rem el caualler* o que dixes *trop am a la dona*

525. *M:* que es dita.
532/533. *M:* canch mils homs.

126

520   E fay be pauc d'esforç, so sabets vos,
        E gran ergull e mal ensenyamen
        Cell qui celuy combat que no · s deffen;
        Que es peccats e avols venjanços.
        Mas vos o faytz de me tot atressi
525   Com cell qui·l pres rete *e · l mort auci.*
        En aquesta dicció que ell diu, *el mort auci,* va esser
        posada o dita impròpiament, perquè cap home no pot
        matar un mort, sinó el viu pot ben matar.
        [7]
530   L'altra vici s'anomena hiat, que suposa que no es deu
        posar vocal davant vocal, així com qui digués *dona ama-*
        da o que digués *la dona atrobada,* o d'altres expressions
        consemblants a aquestes. O així com diu En Peyrols
        en una cançó que comença:
535   Estat ay com hom esperdutz,
        en la quinta cobla, que diu:
            Ma dona fon al començar
            Pros e de bella companya;
            Per ço la dey may amar,
540   Que si · m fos *fer' e estranya.*
        En aquestes dues diccions posa ell dues vegades aques-

venjança. Però vós ho feis ben igual amb mi, com aquell que retè el
pres i mata el mort: [voleu tenir el comportament del bon servidor,
que, tant vol servir arreu, que deixa de servir els seus].»
    535 i 537 a 540. És una cançó de Bernart de Ventadorn, ed. LAZAR,
núm. 30, p. 176/7 a 178/9; estrofa V, p. 178. Tr.: «He estat com un
home esmaperdut» i «La meva dona fou, al començament, noble i de
bella companyia; per això l'he d'estimar més que si m'hagués estat
esquerpa i desdenyosa...» Lazar, en el v. 3 de la cobla (539), s'inclina
per la lliçó *lauzar* de *V* (cançoner català de la segona meitat del
s. XIII, tot i que la resta dels cançoners duen *amar*; diu en una nota
a aquest v. que tant una lliçó com l'altra el fan defectuós: li manca
una síllaba; crec que s'equivoca, així com Appel quan proposa *mer-*
ceyar per, segons ell, esmenar la mala mètrica; la cançó és composta
de vv. masculins i femenins, aquells, tots —i també aquest en qüestió—,
octosíllabs, i els femenins, tots, heptasíllabs, i així ho adverteix Lazar
mateix, més amunt, quan exposa l'estructura i versificació del poe-
ma; es degué distreure, potser embullat per Appel. No hi ha cap can-
çoner dels collacionats per Lazar que atribueixi la cançó a Peirol.

o axj com dix en Guerau de bornell en vna
sua canço que començà Mamigam menestra
ley, en la iiij[a.] cobla que diu Ceyla dupta
545 queu destrey *penram* al fre quel primer for
faix enço que ell dix *penram al fre* mes

[col. 2.ª] apres / la diccio que feneix en ·*m*· la vocal
que es dita ·*a*· Et axj sembla que deles dues
diccions sia feyta conjunccio, o encara axj
550 com dix Neymerich de pugujla en vna sua
cançó que començà xantar vull per que jam
platz. En la terça cobla que diu Saxi no fos
la vertatz era vos car me digatz aque amors
tant ne quant vays tu mensonger truanço la
555 per *quem amaria*. Enço que ell mes apres la
diccio que es dita per *quem*. E apres seguent
mes la letra vocal ·*a*· E axj parech que de
diccions fes conjunccio. Per que hom se deu
guardar de semblants diccions.

560 Part aquests vicis hi ha alguns deffalliments
de que hom se deu guardar en son trobar, o
rimar. Enaxj que quant cançó, o verset, o
cobles, o qualqueus placia dictat queus diga
ab ço que pus haura mes vn mot en cap de
565 rjm que en altra rjm de aquella matexa obra,

555. *M*: per quam.

128

ta lletra *e*, en la dicció *fera*, i llavors davant aquella
mateixa lletra *e* que se segueix, *estranya*, i així posa *e*
vocal davant vocal, quan diu *fere estranya*. O, encara,
545 així com diu En Bernat de Ventadorn, en una cançó
que comença:

Ab joy mou lo vers el començ,

en la tercera cobla, que diu:

D'una res m'aonda mos sens:
550 C'anch nulls homs mon joy no · m enquis,
Qu'eu volenters no l'in mentis;
Car no · m par bos ensenyamens,
Ans es *foli' e enfansa*.

En això que ell diu, *foli' e enfansa*, posa una vocal da-
555 vant vocal.

[8]

Un altre vici hi ha, que ha d'esser ben evitat, que és
el metacisme, això és a saber, quan la dicció acaba en
m, que la dicció següent no ha de començar en vocal,
560 així com qui digués *amarem el cavaller* o *massa am a
la dona*, o així com diu En Guerau de Bornelh en una
cançó que comença:

M'amiga · m men' estra ley,

en la quarta cobla, que diu:
565 S'eyla dupta qu'eu destrey,

547 i 549 a 553. Ed. LAZAR, cançó núm. 3, p. 68/9 a 70/1; estrofa III,
p. 68; també a RIQUER, *Trovadores*, I, p. 392 a 395, que dóna el text
fixat per Appel. Les discrepàncies entre els textos són irrellevants.
Tr.: «Amb alegria comença el vers [i amb alegria continua i s'acaba]»
i «En una cosa m'ajuda el seny: que ningú mai no em va demanar
sobre la meva alegria, que jo no li digués a consciència una mentida;
perquè no em sembla bon ensenyament, sino follia i infantilisme, [que
el qui té benançança d'amor vulgui descobrir el seu cor a un altre
que no et pot valer ni el pot servir]».
563 i 565 a 567. Ed. KOLSEN, cançó, núm. 24, p. 124/5 a 130/1; es-
trofa V (segons Kolsen), no III, p. 126. Els textos discrepen una mica;
l'orde de les cobles del *Mirall* coincideix amb S^{g}. Tr.: «La meva ami-
ga em mena fora de llei» i «Si ella tem que m'esgarrii, que m'agafi
per la brida, perquè a la primera malifeta, [si ja la veu, que cerqui
un altre amant...]».

nos deu tornar en aquell matex significat que
jal haura mes. Si donchs nou fasia per co-
lor retorjca aprouada per los trobadors. En-
cara se deu guardar que si fa ab altre tenso

[fol. 9 v. 570 que souen / se solen fer o semblants de ten-
col. 1.ª] so axi com son cobles esparses que nulla
rima que latuersari haia mesa en cap de
rjma, no deu ell aquella metre pus en la sua
part. Si donchs nou fasia per manera de
575 color de retorjca qualque si esdeuengues.
Cor parrja fos deffalliment de rahons de
mots o de rjmes.

Aci comencen les colors de Retorjca del
Mirall de trobar.

580 La quarta part es de colors retoriques que
son posades en ornament o en abellimenç de
dictats ço es en uersificar, o en rjmar, o en
trobar cançons o uerses, car enaxi con hom
abeylex vestiments o quals que obres vos vu-
585 llats per colors diuerses son abellits e hon-
rats dictats per diuerses colors deles quals
es la primera aquesta.

La primera e la pus comjnal es dita leonis-
[col. 2.ª] mitat que vol dir aytant com dues dic / cions,
590 o mots han en la fi dela rjma dues sillabes
semblants en llur consonacio, o en llur veu
axj com quj digues *amistança honrança be-*
nanança malenança semblants a aquests per

569 i 570/571. M: censo.

Penra m'al fre;
Qu'el primer forfaix.

En això que diu, *penra m'al fre*, després de la dicció
que acaba en *m* posa la vocal *a*, i així sembla que es
570 fa un sol mot de les dues diccions. O, encara, així com
diu N'Eimeric de Peguilhan en una cançó que comença:
Xantar vull. Per que? Ja · m platz,
en la tercera cobla, que diu:
S'axi no fos la vertatz.
575 —Era vos, car me digatz!
—E que? —Ama · us tant ne quant?
—Vays tu, mesonger truan;
Ela per que *m'amaria*?

En això que ell posa després de la dicció *per que m'*,
580 que llavors posa seguit la lletra vocal *a*, així pareix que
de dues diccions en fa una. Per la qual cosa cal guar-
dar-se de semblants diccions.

Aquests vicis a part, hi ha alguns defalliments, dels
quals hom deu guardar-se en trobar o rimar. De tal
585 manera que quan en una cançó o verset o cobles o
qualsevulla dictat que us digui hagi posat una paraula
en cap de rim, que en cap altre rim d'aquella mateixa
obra no ha de repetir aquella paraula amb el mateix
significat amb que ja l'haurà posada, si no és que ho
590 faci per ornament retòric aprovat pels trobadors. En-
cara s'ha de guardar el trobador que si fa tençó amb
un altre, que sovint se solen fer, o semblança de ten-
çó, així com són cobles esparses, que cap rima que

572 i 574 a 578. Ed. SHEPARD I CHAMBERS, cançó núm. 16, p. 106 a
107. Aquesta cançó no es conserva més que al cançoner *c*, massa tardà
perquè el conegués B. d'A.; vegeu la *Introducció*, p. 35 i P, p. XXVII
a XXIX i 32, n. Tr.: «Vull cantar. Per què? Ara em plau» i «[De les
seves qualitats no m'ocuparia] (són un v. i mig de l'estrofa anterior)
si així no fos la veritat. Ara, vós, cal que em digueu! Què? Us es-
tima tant com és ara això? Fuig, mentider, enganyós; ella per què
m'hauria d'estimar?».

583 a 598. En aquest paràgraf es condemna el vici que les *Leys d'a-
mor* tolosanes anomenaran «mot tornat».

que nous hi cal allegar actor, que cascu o
595 conex molt be, e leu e cant pot sesforça du-
sar de aytal color.

Laltra color es dita anadiplosis que uol dir
aytant com la rjma, o lo vers que fenex enal-
guna diccio. E en aquella matexa diccio co-
600 mença laltra vers o rjma axj com dix en
Guillem de sanlader en vna canço que co-
mença pus tant me forçamens queram fay
entrametre, aquesta cobla fenex en aytal dic-
cio com es *prometre*. E la segona comença
605 lo *prometre*. E fenex en diccio que es dita
sostrayre. E la quarta comença *sostrayre*. E
fenex en diccio que es dita *Retenya*. E la
quinta comença *Retenjr*. Narnau danjel mes
aquesta color en vna sua canço que feu que
610 comença lo ferm voler qujl cor mjntra. E
[fol. 10 r. axi / com fenex la cobla comença laltra.
col. 1.ª] E daltres motz han mesa aquesta color.

Laltra color quey ha es dita agnomjnacio que
vol aytant djr cant dues diccions, o pus son
615 posad[e]s en vers semblants en veu en co-
mençament o en la fi, e de semblants en sig-
njficat axj com qui deya *dona cant pusch
amar quel cor ne amar*. On Arnau danjel dix
en vna sua canço que feu en ausi car eu no
620 say *cora* jaz se *cora* deu a cor mausi *cor* eu

602. *Ms.: una lletra barrada després de* forçaments, *possiblement
una e, però, realment, com diu P, es tracta d'«una lettera appena aboz-
zata».* M: qurram.

608. M *i* P: Y Arnau; *jo llegesc una* N *d'un traçat similar al d'al-
tres punts del Ms, singularment al de la l. 503, com dix* Neymerich
de pugujla, *que ni* P *ni* M *dubten de transcriure com a* N; *seria, a
més, l'únic passatge del Ms. on la copulativa fos* y *i no* e; *i encara:
tots els trobadors són anomenats amb la partícula o article nominal*
En, N', *menys a la l. 618, però aquí el nom* Arnau *va precedit de la
paraula* On *i el copista podia, confús, creure que ja havia escrit la* N
usual.

620. M: jazse.

132

l'adversari hagi posada en cap de rim no l'ha de posar
595 ell mai més en la part seva, si no és que ho faci per
qualsevol ornament de retòrica que s'esdevengués, per-
què semblaria que fos defalliment de raons, de parau-
les o de rimes.

[IV]

600   Aquí comencen els ornaments de retòrica del Mirall
de trobar.

La quarta part tracta d'ornaments retòrics que són
posats per adornar o embellir els dictats, això és,
en versificar o en rimar o en trobar cançons o ver-
605 sos, perquè així com embellim els vestits o qualsevol
obra amb ornaments diversos, així són embellits i hon-
rats els dictats amb diversos ornaments, dels quals el
primer és aquest.

[1]

El primer i el més comú és l'anomenada lleonismitat,
610 que vol dir tant com que dues diccions o mots tenen
al final de la rima dues síl·labes semblants en llur con-
sonància o en llur veu, així com qui digués *amistança,*
honrança, benanança, malanança, o consemblants a
aquests; que no cal al·legar cap autor, perquè tothom
615 el coneix molt bé i fàcilment i sempre que pot s'esforça
a usar aquest ornament.

[2]

L'altre ornament es diu anadiplosi, que vol dir tant com
que la rima o el vers acaba amb alguna dicció, i amb
620 aquesta mateixa dicció comença l'altre vers o rima;
així com diu Guilhem de Sant Laidier, en una cançó
que comença:

Pus tant me forç' amors que me fai entrametre;

623. És una cançó de Guilhem de Sant Laidier, que he compulsat
amb el *Choix* de Raynouard, no havent pogut consultar l'ed. d'Aimo
Sakari (cit. per Riquer, *Trovadores,* III, p. 1722, dins la «Bibliografía
general», p. 1711 a 1724: A. Sakari, *Poésies du troubadour Guillem de
Saint-Didier,* «Mémoires de la Société Néophilologique de Helsinki»,
XIX, 1956). La composició és en set cobles que, en efecte, acaben i

no say *cora* jam se *cora* den quant dougens
nom estant los mals. Si tot la bocas quanta
nages no val quem nestança. E puyxs seguex
apres aquesta color.

625 Altra color hi ha que es dita gradasia que
vol dir aytant com deuallament de veu, en
en veu, o en forma, o en raho dins algun
rjm. Axj com dix ·G· assemar en vna sua
canço que diu lo començament *Començament*

[col. 2.ª] 630 *començaray començar / pus començar say
dun vers verament ueray.* E de aquesta co-
lor es tota la canço. E axj metex daltres tro-
badors han mesa aquesta color en llur tro-
bar.

635 Altra color hi ha que es dita repeticio ço es
cant vna matexa diccio torna hom en comen-
çament de moltes clausules don Naymerich
de pegujla mes en vna sua canço aquesta
color e comença *Daujnent sab enganar e*

623. *M:* nagues,

aquesta cobla acaba amb la dicció *prometre* i la segona
625 comença: *Lo prometre,* i acaba amb la dicció *sostrayre,*
i la quarta comença: *Sostrayre,* i acaba amb la dicció
retenya, i la quinta comença: *Retenir.* N'Arnau Daniel
posà aquest ornament en una cançó que comença:

Lo ferm voler qu'il cor m'intra,

630 on així com acaba la cobla comença l'altra. I molts d'al-
tres han usat aquest ornament.

[3]

L'altre ornament es diu agnominació, que vol dir tant
com quan dues diccions o més són posades en un vers,
635 al començament o al final, semblants de veu i dissem-
blants de significat, així com qui digués:

Dona, c'anc pusch amar,
Qu'el cor n'e amar.

Així N'Arnau Daniel diu en una cançó que va fer:

---

comencen, això és: 1.ª ...*prometre.* 2.ª *El prometre...* ...*messa.* 3.ª *Mes-*
sa y ai... ... *sostraire.* 4.ª *Sostrag m'a...* ...*retenha.* 5.ª *Retener...* ...*com-*
batre. 6.ª *Combatre...* ...*refaita.* 7.ª *Refaitz...* ...*prenre.*

629. És una sextina d'Arnaut Daniel, famosa per la menció que en
fa el Dant (*De vulgari eloquentia,* II, 10) com a inspiradora de les
seves. La sextina repeteix —al final del primer v. de la segona cobla
el mot final del darrer v. de la primera, al final del primer v. de
la tercera el mot darrer del darrer v. de la segona i així fins a con-
cloure la composició en sis estrofes i una tornada; però amb una
ordenació de totes les paraules rima que dóna la imatge d'un ventall
que es tanca i s'obri contínuament. Ha explicat amb cura i encert la
sextina Josep ROMEU I FIGUERAS, *Tres sextines del primer quart del*
segle XVII, en «Els Marges», IV, B. 1976, i també en l'epíleg a J.
BROSSA, *Vint-i-set sextines i un sonet,* edicions 62, «Els llibres de l'Es-
corpí. Poesia», 81, B. 1983. Aquesta sextina d'A. Daniel figura a totes
les edicions de les obres d'aquest trobador. També a RIQUER, *Trova-*
dores, II, p. 643 a 645, amb una breu introducció on hi ha una biblio-
grafia suficient sobre la sextina i el seu èxit en la poesia posterior.

637 a 638. Possible començament d'una cançó, que no coneixem
més que per aquesta citació en fa B. d'A.; ens és ben lícit suposar
que no són més que dos versos inventats pel tractadista per il·lustrar
l'ornament retòric de què parla; vegeu la *Introducció,* p. 38 i n. 67.
Tr.: «Dona, que mai puc estimar, que el cor en tenc (d'això, d'a-
questa impossibilitat) amarg»; *amar,* 'estimar', i *amar,* 'amarg, són, en
la llengua dels trobadors, homònims.

640 *trayr quj daujnent sap trayr trahidor. E ceyl*
que fayl daujnent vay samor sab daujnent
ses falliment fallir. E puys seguex se en axi
la cançо. E en Riambaut de vaqueras mes
aquesta color en vna sua cançо que comença
645 *Ab nou cor e ab nouell tallen ab nou saber*
e ab nou sen ab nou bell xaptinjmen. E axis
seguex la cançо apres. E axj metex meseren
daltres aquesta color en llurs trobars.

Altra color hi ha que es dita tranduccio que
650 uol aytant dir com vna matexa diccio con-
sonant se retorna. E dins vna raho en diuer-

[fol. 10 v.
col. 1.ª] ses significats / Aixi com es dit en vna re-
gonexença quj diu per cap de *port* prech

M'ausi car eu no say cora
Ja · m secora de cor Deu
M'emsi cor eu non say cora
Ja · m secora Deu quant deu.
Gens lo mals no m'estança
645 Si tot la boca · s quanta (na)
Gens no val que · m n'estança.
I així segueix després aquest ornament.
[4]
Un altre ornament hi ha que es diu gradasia, que vol
650 dir tant com davallament de veu en veu o en forma o
en raó dins algun rim. Així com diu Guilhem Ademar
en una cançó, que diu al començament:
Comensamen comensarai

640 a 646. Fragment, cal suposar, d'una cançó d'Arnaut Daniel, se-
gons B. d'A., que ens en forneix l'única notícia que en tenim; els
filòlegs la desconeixen, o la rebutgen, no és als repertoris ni als can-
çoners que ens han pervengut. J. Anglade la transcriu al seu tre-
ball *Berenguier de Noya et les troubadours* («Homenaje a Menéndez
Pidal», I, p. 677 a 687, Madrid, 1925): *En ausi, car eu no say, / Cora
jazse cora, / Deu a cor m'ausi' cor / Eu no say cora, / Ja m se
cora / Deu quant don / Gens nom estant los mals / Si tot l'abo-
cas / Quanta n hagues no val / Que m rrescança;* és la transcripció
de Llabrés: hi ha lleus diferències amb les lliçons de M, que permet
una lectura indubitable, com són *den quant dougens* (vv. 6/7 d'aques-
ta ordenació) i *nescança* (v. 10). Anglade confessa, com a confús: «Je
ne retrouve la pièce dans Bartsch» (p. 679); tampoc no és a la *Biblio-
graphie* de PILLET i CARSTENS ni, finalment, al *Répertoire* d'I. FRANK.
Jo aventur, a tot risc, una refecció, que traduesc: «Em va sentir,
perquè jo no sé quan, un temps em va socorre Déu de grat, em va
sentir, perquè jo no sé quan, em va socorre Déu el que deu (el que
té obligació de socorre). El mal no em deixa gens, encara que la
boca [...?], no serveix de res que me n'estigui.» P comenta, d'aquesta
citació, que «no stonerebbe troppo nella produzione di Arnaut». ¿I si
fos una caricatura, una estrafeta d'A. Daniel, obra d'un potser irò-
nic B. d'A.?

653 a 655. Aquest inici de cançó de Guilhem Ademar és citat per
RIQUER, *Trovadores*, I, p. 51, per il·lustrar l'ús i el concepte de la pa-
raula vers. G. Ademar ha estat editat per Kurt ALMQVIST, *Poésies du
troubadour Guilhem Adémar*, Uppsala, 1951 (cit. per RIQUER, *Trovadores*,
«Bibliografía general», p. 1711). Tr.: «El començament començaré co-
mençant, perquè sé començar, un vers vertader i veraç, tot ver vera-
ment»; a la lliçó de B. d'A. hi sobra, sembla, la *D'* del v. 3.

quem *aport* a bon port ceyl cap greu *mort*
655 destruix la *mort* quj laix *mort*. E axi matex
daltres semblants.

Altra color hi ha ques dita sinatisme que uol
aytant dir com alguna cosa que uol hom lau-
sar, o blasmar per moltes diccions e paraules
660 e torna tot quaix vn signifficat. On en p. car-
dona mes en vna canço aquesta color e co-
mença Aquest gen cançon en llur jaesa en
la segona cobla que ell diu Cor cuyt que say
ques *corta* de larguesa *corta* de cos e *corta*
665 de tots bes *corta* damor e *corta* de ffranque-
sa ab *cort* donar e ab *corta* merces e *cort*
sens tota cortesia e *corta* de dousa paria e
cor sen surt li gaug e li plazer per raho deu
non *decort cortauer*. E axj matex daltres
670 motz han mesa aquesta color.

Altra color hi ha que es dita anapolonsis que
uol dir aytant com vn mateix vers o rjma
[col. 2.ª]   fenex enaquella matexa / diccio axj com es
en vna guayta que feu qual queus placia que
675 comença la primera cobla de la diccio *Gay-*
ta be gardatz que nous sia asemblatz lo cas-
tell que tant beyl vos ha deus comanatz car
[s]ies noueyl non es aycell qui mantz na en-
ganatz nous fisetz en lenemjch quj per plazer
680 vos destrich, ans faytz gens queix vostra *gay-*

657. *M:* smatisme.
665. *M:* de tots be.
669. *M:* cortaure.
671. *P corregeix en* anapolensis, *d'acord amb el Ms., l. 608 de la nostra ed.*
680. *M:* quix.

Comensan, puis comensar say,
655   D'un vers ver, veramen verai.

I tota la cançó és d'aquest ornament. I d'altres trobadors també han posat aquest ornament en llur trobar. [5]

Un altre ornament hi ha que es diu repetició, que és
660 quan una mateixa dicció es repeteix al començament de moltes clàusules. Així N'Eimerich de Peguilhan posa en una cançó seva aquest ornament, i comença:

             D'avinent sab enganar e trayr
             Qui d'avinent sab trayr trahidor;
665   E ceyl que fayl d'avinent vays amor
             Sab d'avinent ses falliment fallir.

I llavors la cançó segueix d'aquesta manera. I En Riambaut de Vaqueiràs posà aquest ornament en una cançó que comença:
670   Ab nou cor e ab nou talen,
             Ab nou saber e ab nou sen,
             Et ab nou bell xaptinimen.

I així segueix després la cançó. I d'altres també posaren aquest ornament en llurs trobars.
675 [6]

Un altre ornament hi ha que es diu traducció, que vol dir tant com que una mateixa consonància es repeteix dins una raó amb diferents significats, així com és dit en una regoneixença, que diu:
680   Per cap de*port*

663 a 666. Ed. SHEPARD I CHAMBERS, cançó núm. 18, p. 112. Tr.: «Amb propietat sap enganar i trair qui amb propietat sap trair un traïdor; i aquell qui falla amb propietat envers l'amor sap amb propietat fallar sense fallida.»

670 a 672. Ed. PATTISON, cançó núm. XXXV, p. 184. Tr.: «Amb nou cor i amb nova inclinació, amb nou saber i amb nou seny, i amb nou bell capteniment...»

680 a 685. Aquesta *regoneixença* no atribuïda a ningú, sinó introduïda només amb l'impersonal «és dit», par que també sigui invenció directa de B. d'A., com supra (637 a 638). Tr.: «Per cap diversió prec que no em porti a bon port aquell que amb dura mort destrueix

ta. Axj totes les cobles comencen en *gayta.* E feneix en *Gayta.* E axi matex daltres motz han mesa aquesta color en llur cantar, o ver-sificar, moltes daltres colors son stades me-
685 ses per los trobadors, o poetes menys dagues-tes deles quals me cayll per no allargar la raho. Car part aquestes colors deuetz saber que quj azaut o vol ordonar que començara qualqueus placía vers, o cobla que segons
690 que començara la primera posada del primer rjm, aquella matexa posada se deu seguir en los altres verses o cobles egual de sillaba, o sillabes o de uocals. E part aco si en lo primer vers, o rjma met rjma sola axi com

[fol. 11 r. 695 col. 1.ª] moltz / han feyt en los altres uerses o co-bles enaquell matex loch e enaquelles ma-texes rjmes los deu metre. Encara es vn al-tra adaltiment en manera de color que son alscuns que enqualqueus placia so mudar
700 an totes les rjmes o menaran llur cantar en estranyes rjmes de djns en aquell so. E a aço se coue que les posades de cascun rjm sien feytes en aquella egaltat de sillabes, o de vocal en que eren les del so en ques dira.
705 Donchs hauem daquest petit scrit la primera part del verset qujs mena en son rjm djns quantes sillabes deles quals son dues costre-

685/686. *M i P:* daquestes.
690. *M:* començará.
693. *M i P:* aço.
696. *P corregeix en* les.
707. *P corregeix en* quatre.

Prech que m'a*port*
A bon *port*,
Ceyl c'ab greu *mort*
Destruix la *mort*
685   Qui laix *mort*.

I així també d'altres consemblants.

[7]

Un altre ornament hi ha que es diu sinacrisme, que vol
dir tant que quan es vol alabar o blasmar una cosa
690 amb moltes diccions i paraules, es repeteix tot com un
sol significat. Així En Pèire Cardenal posà aquest orna-
ment en una cançó, que comença:

Aquesta gens, can son en llur jaesa,

en la segona cobla, que diu:

695   Cor cuyt que say qu'es *corta* de larguesa,
Corta de dos e *corta* de tots bes,
Corta d'amor e *corta* de franquesa,
Ab *cort* donar e ab *corta* merces,
E *cort* sens tota *cort*esia,
700   E *corta* de dousa paria,
E cor son *curt* li gaug e li plazer
Per raho deu lo nom de *cort* aver.

I molts d'altres també han posat aquest ornament.

[8]

705 Un altre ornament hi ha que es diu anapolensi, que vol
dir tant com que un mateix vers o rima comença i acaba
a cada estrofa amb la mateixa dicció, així com és en

la mort que deixa mort.» S'evidencia, sembla, el to religiós de la
poesia.

693 i 695 a 702. Ed. Lavaud, cançó núm. XII, p. 42. Entre els dos
textos hi ha algunes discrepàncies. Tr.: «Aquesta gent, quan són en
la seva alegria» i «Car (Lavaud: *cort*) pens que sé que és curta de
generositat, curta de qualitats i curta de tots els béns, curta d'amor
i curta de liberalitat, amb curt donar (Lavaud: *perdos*) i amb curta
mercè, i cort sense cap cortesia i curta de dolça companyia, i com
que són curts els goigs i els plaers, per raó deu tenir el nom de curt.»
El joc de paraules es fa entre els mots *cort* i *curt, -a*; es tracta d'una
dama satiritzada perquè presum de cortesana, de dama de cort.

tes sots les primeres letres del començament
de aquell nom quil feu. E a les derreres le-
710 tres del rjm anomenar don fo. La segona
part del alphabet hauem quil feu e les pro-
prietats de partides en llur nom. La terça
part hauem deles ·viij· figures, tres contra-
ries atres deles quals la primera protesis. La
715 segona Efetesis. La terça epentesis. La iiij^{a·}
[col. 2.ª] sincopa. La quinta / peragoja. La sexta apo-
cope. E part aquestes nj ha dues soltes, la
vna es dita Episeusis laltra antifrasis. La
quarta part es de viiij· vicis squjuadors. Lo
primer es dit barbarisme. Lo segon solasis-
720 me. Lo terç es pleonasme. Lo quart amphi-
bolia lo quint tantologia. Lo vj^{e·} assirologia.
Lo vij· que es solter ques deu guardar de
metre vocal denant vocal en vesines diccions.
Lo viij es que apres la letra dita m. quela
725 diccio seguen no començ en vocal. La v^{a·} part
es deles viij· colors deles quals La primera
es dita leonismjtat. La segona anadiplosis. La
terça acnomjnacio. La quarta Gradasia. La
quinta Repeticio. La vj^{a·} traduccio. La vij^{a·}
730 smatrismos. La viij· anapolensis. E axj es
finjt nostre scrit deus ne sia beneit.

710. P corregeix en anomena.
711/712. M: propietats, com a les ls. 491/492 i 500/501.
715. P corregeix en aferesis.
716. P: paragoja.
718. M: episensis; al Ms., la u o la n és suplida per un signe d'a-
breujament.
721. M: tantologia; P corregeix en tautologia. Ms.: assirologia, amb
el grup ro damunt la primera i a la interlínia; P comenta «che tutta-
via sembrerebbe piutosto to»; M: asologia.
728. Ms.: Gradasia, amb la segona r a la interlínia; M: gradrasia.
730. P: sinatrismos, sense cap comentari; M va llegir (i Llabrés

una guaita que va fer quisvulla que us plagui, que comença ja a la primera cobla:

710
    Gaita, be gardatz
    Que no · us sia amblatz
    Lo castell que tant beyl
    Vos ha Deus comanatz,
    Car s[i] es noveyl
715
    Non es aycell
    Qui mantz n'a enganatz.
    No · us fisetz en l'enemich
    Qui per plazer vos destrich,
    Ans faytz gens queix vostra *gayta*.

720 Així totes les cobles comencen en *gayta* i acaben en *gayta*. També molts d'altres han posat aquest ornament en llur cantar o versificar.

Molts d'altres ornaments han estat posats pels trobadors o poetes a més d'aquests, sobre els quals em call
725 per no allargar la raó. Perquè, a part d'aquests ornaments, heu de saber que el qui vulgui ordenar-ho adequadament, segons com comenci la primera estrofa del primer rim, aquella mateixa estrofa ha de seguir en els altres versos o cobles, igual de síl·laba o de síl·labes
730 o de vocals. I això a part, si en el primer vers o rima posa una rima sola, així com ho han fet molts, en els

---

710 a 719. Aquesta *gaita*, o *guaita*, que va fer «quisvulla que us plagui» pot esser també un exemple inventat per B. d'A. per il·lustrar el seu tractat. La publica i tradueix RIQUER, *Literatura*, I, p. 197: «Guaita, vigileu bé que no us sigui robat aquest castell tan bell que Déu us ha encomanat, perquè, encara que és nou, no és aquell que ha enganyat a molts. No us refieu de l'enemic, que, per plaer, us turmenta, sinó que feu gentilment cadascú la vostra guaita..» Riquer interpreta *gens queix* com a *gen quecs*; però també podríem suposar que *gens* fos negació i *queix* un adjectiu o un adverbi que no sabem, però, identificar.

725 a 730. Aquí B. d'A. defineix, sembla, la unitat estròfica, tan característica de la poesia dels trobadors; no és gaire entenent, però, l'expressió «igual de síl·laba o de síl·labes o de vocals».

730 a 733. En aquest fragment sembla que defineix les anomenades «cobles unissonans»; vegeu RIQUER, *Trovadores*, I, p. 41.

Amen

E axi son finides e complides les doctrines,
a les figures les quals en berenguer de noya
735 ha fetes.

altres versos o cobles ha de posar aquelles mateixes rimes en aquell mateix lloc. Encara hi ha una altra elegància a manera d'ornament, que fan alguns, que en
735 quisvulla so que us plagui, mudaran totes les rimes, o menaran llur cantar en rimes estranyes dins aquell so. I en aquest cas és convenient que les estrofes de cada rim siguin fetes amb aquella igualtat de síl·labes o de vocals en què eren fetes les del to en què es dirà.

740 Així, doncs, tenim, d'aquest breu escrit, la primera part, que conté el verset, el qual mena el seu rim dins quatre síl·labes, de les quals n'hi ha dues d'obligades, de manera que sota les primeres lletres del començament de cada vers s'anomena qui el va fer, i a les darreres lletres
745 de cada vers del rim s'anomena d'on era. A la segona part tenim, de l'alfabet, qui el va fer i les propietats expressades en el seu nom. A la tercera part tenim, de les vuit figures, tres contràries a tres, de les quals són: la primera, protesi; la segona, afèresi; la tercera, epèn-
750 tesi; la quarta, síncopa; la quinta, paragoge; la sexta, apòcope; i, a més d'aquestes, n'hi ha dues de soltes: una es diu epizeuxi i l'altra, antifrasi. La quarta part tracta de vuit vicis que cal evitar: el primer es diu barbarisme; el segon, solecisme; el tercer, pleonasme;
755 el quart, amfibòlia; el quint, tautologia; el sext, assiro-logia; el setè, que és solter, que cal guardar-se de posar vocal davant vocal en diccions veïnes; el vuitè és que darrera la lletra m la dicció no ha de començar amb vocal. La quinta part tracta dels vuit ornaments, dels
760 quals: el primer es diu lleonismitat; el segon, anadiplo-si; el tercer, agnominació; el quart, gradasia; el quint, repetició; el sext, traducció; el setè, sinacrisme; el vuitè, anapolensi.

734 a 739. Aquí sembla tractar de les anomenades «cobles singu-lars»; vegeu RIQUER, ibidem.
740 a 763. En aquest resum final del tractat tornam trobar la divisió en cinc parts; vegeu la Introducció, p. 56 ss.

I així és acabat el nostre escrit.

Déu ne sia beneït. Amèn.

I així són acabades i acomplides les doctrines i les figures que ha fetes En Berenguer d'Anoia.

* 10.

BIBLIOGRAFIA

Antoni M.ª ALCOVER, *Sermó de la Conquista de Mallorca*, predicat el 31 de desembre del 1904, Palma de Mallorca, estampa d'En Joseph Tous, 1905.

DANTE ALIGHIERI, *De vulgare eloquentia*, dins el volum *Dante: Tutte le opere*, Sansoni editore, Firenze, 1965, p. 201 a 245, text llatí i tr. italiana.

— *La Divina Commedia*, «Società Dantesca Italiana», Ulrico Hoepli, editore-libraio, Milano, 1958, 17.ª ed.

Joseph ANGLADE, *Berenguier de Noya et les troubadours*, dins «Homenaje a Menéndez Pidal», I, Madrid, 1925.

— *Las leys d'amors*, Tolosa, 1919/20 (reprint: New York, 1971).

— *Las Flors del Gay saber*, «Memòries de l'Institut d'Estudis Catalans», vol. I, fasc. II, Barcelona, 1926.

Nicolás ANTONIO, *Bibliotheca Hispana Vetus*, II, Madrid, 1788; edició a cura de Francisco Pérez Bayer.

Carl APPEL, *Provenzalische Inedita aus pariser Handschriften*, Wiesbaden, 1967 (reprint).

ARISTÒTIL, *Poètica*, text i traducció de J. Farran i Mayoral, «Fundació Bernat Metge», Barcelona, 1926.

D'Arco Silvio AVALLE, *Peire Vidal. Poesie*, R. Ricciardi, Milano-Napoli, 1960, 2 vols.

Roland BARTHES, *L'ancienne rhétorique (aide-mémoire)*, a la revista «Communications», núm. 16 (Paris, Seuil, 1970), p. 172 a 229.

Karl BARTSCH, *Grundriss zur Geschichte der provenzalischen Literatur*, Elberfeld, R. L. Friederiches, 1872 (reprint: Ginebra 1972).

Pere BOHIGAS, *La matière de Bretagne en Catalogne*, al «Bulletin bibliographique de la Société Internationale Arthurienne», XII (1961), p. 49 a 52 (en català al recull *Aportació a l'estudi de la Literatura Catalana*, Publicacions de l'Abadia de Montserrat, 1982, p. 289 a 290).

Joaquín M.ª BOVER, *Biblioteca de escritores baleares*, Palma, Imprenta de P. J. Gelabert, 1868, 2 vols. (Hi ha ed. facsímil: Curial ed., 1976.)

José María CASAS HOMS, *«Torcimany» de Luis de Averçó*, Consejo Superior de Investigaciones Científicas (Sección de Literatura Catalana), Barcelona, 1956, 2 vols.

Josep M. Casas Homs, *Joan de Castellnou, segle XIV, Obres en prosa. I-Compendi de la coneixença dels vicis en els dictats del Gay Saber. II-Glosari al Doctrinal de Ramon de Cornet*, «Fundació Salvador Vives Casajuana», Barcelona, 1969.

M. Tulli Ciceronis Orator, text i traducció castellana a cura d'Antonio Tovar i Aurelio R. Bujaldón, ed. «Alma Mater, S. A.», Barcelona, 1967.

V. Crescini i V. Todesco, *La Questa del Graal*, edició a cura de..., Institut d'Estudis Catalans, Barcelona, 1917.

DCVB: *Diccionari Català-Valencià-Balear*, obra iniciada per Antoni M.ª Alcover i acomplida per Francesc de B. Moll, amb la col·laboració de M. Sanchis i Anna Moll i Marquès, Palma de Mallorca, 1926 a 1962, 10 vols.

DECLC: Joan Coromines, *Diccionari Etimològic i Complementari de la Llengua Catalana*, Curial ed., Barcelona, 1980 a 1982, 3 vols, apareguts fins ara: l'últim art. publicat correspon a la paraula *fita*.

DIC: *Diccionari de la llengua catalana*, Enciclopèdia Catalana, S. A., Barcelona, 1982.

J. Domínguez Bordona, *Manuscritos catalanes de la Biblioteca Nacional*, Madrid, 1931.

E. Faral, *Les arts poètiques du XII*ᵉ *et du XIII*ᵉ *siècle*, H. Champion, Paris, 1971.

István Frank, *Un message secret de Berenguer de Noya: le prologue du «Mirall de trobar»*, a la revista «Filologia Romanza», III (1955), p. 1 a 11.

— *Répertoire métrique de la poésie des troubadours*, 2 vols. Honoré Champion, Paris, 1953 i 1957.

M. Gatien-Arnoult, *Les Flors del Gay Saber, estiers dichas Las Leys d'Amor*, Tolosa, 1841 a 1843.

G.E.C.: *Gran Enciclopèdia Catalana*, Barcelona, 1969 a 1983, 16 vols.

A. Griera, *Diccionari de rims de Jaume March*, «Biblioteca Filològica de l'Institut d'Estudis Catalans», núm. VIII, Barcelona, 1921.

Q. Horaci Flac, *Ars poetica*, dins el volum *Sàtires i epístoles*, traducció de Llorenç Riber, «Fundació Bernat Metge», Barcelona, 1927, p. 123 a 139.

San Isidoro de Sevilla, *Etimologías*, text llatí, versió espanyola i notes a cura de José Oroz Reta i Manuel A. Marcos Casquero, introducció general de Manuel C. Díaz y Díaz, «Biblioteca de Autores Cristianos», Madrid, 1982 i 1983, 2 vols.

Adolf Kolsen, *Sämtliche lieder des trobadors Giraut de Bornelh*, M. Niemeyer, Halle a.S., 1910.

Moshé Lazar, *Bernard de Ventadour, troubadour du XII*ᵉ *siècle, Chansons d'amour*, Klincksieck, Paris, 1966.

Heinrich Lausberg, *Manual de retórica literaria*, 3 vols., ed. Gredos, Madrid, 1966.

René Lavaud, *Poésies complètes du troubadour Peire Cardenal (1180-1278)*, Privat, Toulouse, 1957.

Emil Levy, *Petit dictionnaire provençal-français*, Carl Winter, Universitätsverlag, Heidelberg, 1973, 5.ª ed.

Ettore Li Gotti, *Jofré de Foixà*, dins «VII Congrés Internacional de Lingüística Romànica», Barcelona, [1953], 1955, vol. II.

Gabriel Llabrés i Quintana, *Poéticas catalanas d'en Berenguer de Noya i Francesch de Olesa*, Barcelona-Palma de Mallorca, 1909.

J. Mascaró Pasarius, *Corpus de toponimia de Mallorca*, Palma de Mallorca, 1962 a 1967, 6 vols.

J. H. Marshall, *The* Razos de trobar *of Raimon Vidal and associated texts*, Oxford University Press, London, 1972.

— *The* Donatz Proensals *of Uc Faidit*, Oxford University Press, London, 1969.

J. Massó Torrents, *Bibliografia dels antics poetes catalans*, a l'«Anuari de l'Institut d'Estudis Catalans», V (1913-14).

— *Repertori de l'antiga literatura catalana. La poesia*, I, Alpha, Barcelona, 1932.

— *Manuscrits catalans de la Biblioteca Nacional de Madrid*, «L'Avenç», Barcelona, 1896.

Paul Meyer, *Traités catalans de grammaire et de poétique*, a «Romania», VI (1877), p. 341 a 358, VIII (1889), p. 181 a 210 i IX (1890), p. 51 a 70.

M. Milà i Fontanals, *De los trovadores en España*, Librería de Joaquín Verdaguer, Barcelona, 1861.

Francesc de B. Moll, *Els llinatges catalans*, ed. Moll, col. «Els treballs i els dies», núm. 23, Mallorca, 1982.

Jean Mouzat, *Les poèmes de Gaucelm Faidit*, «Les classiques d'oc», París, 1965.

Dag Norberg, *Introduction à l'étude de la versification latine médiévale*, Almqvist et Wiksell, Stockholm [Uppsala], 1958.

Pietro Palumbo, *Berenguer de Noya «Mirall de trobar»*, a cura di... U. Manfredi ed., Palermo, s.a. [1955].

W. T. Pattison, *The life and works of the troubadour Raimbaut d'Orange*, Minneapolis, 1952.

F. Pérez Bayer, vegeu Nicolás Antonio.

Alfred Pillet i Henry Carstens, *Bibliographie der Troubadours*, Halle, 1933 (reprint: New York, 1968).

François Raynouard, *Choix des poésies originales des troubadours*, III, Biblio-Verlag, Osnabrück, 1966, p. 302/3. [Guillaume de Saint-Didier.]

Martí de Riquer, *Història de la Literatura Catalana*, Ariel, «Barcelona, 1964, 3 vols., Vol. I.

— *Los trovadores*, Planeta, Barcelona, 1975, 3 vols.

— *Joanot Martorell i Martí Joan de Galba, «Tirant lo Blanc»*, edició a cura de..., ed. Selecta, «Biblioteca Perenne», Barcelona, 1947.

— *Andreu Febrer, Poesies*, edició a cura de..., «Els Nostres Clàssics», Barcelona, 1951.

— *Guillem de Berguedà*, «Scriptorium Populetis», Poblet, 1971, 2 vols.

Josep Romeu i Figueras, *Tres sextines del primer quart del segle XVII*, a la revista «Els Marges», IV, Barcelona, 1976.

— Estudi a *Vint-i-set sextines i un sonet* de J. Brossa, «Els llibres de L'Escorpí. Poesia», núm. 70, Ed. 62, Barcelona, 1982.

Marqués de Santillana, *Obras de don Iñigo López de Mendoza...*, a cura de D. José Amador de los Ríos, Madrid, 1852.

Bernhard Schädel, *Un art poétique catalan du XVI siècle*, dins «Mélanges Chabaneau», Erlangen, 1906.

William P. Shepard i Frank M. Chambers, *The poems of Aimeric de Peguilhan*. Northwestern University Press, Evanston (Illinois), 1950.

Stanislas Stronski, *Le troubadour Elias de Barjols*, Privat, «Bibliothèque Méridionale», Toulouse, 1906.

— *Le troubadour Folquet de Marseille*, Cracovie, 1910 (reprint: Genève, Slatkine, 1968).

L. T. Topsfield, *Les poésies du troubadour Raimon de Miraval*, «Les classiques d'oc», Paris, 1971.

Fèlix Torres Amat, *Memorias para ayudar a formar un diccionario crítico de los escritores catalanes y dar alguna idea de la antigua y moderna literatura de Cataluña*, Barcelona, 1836 (edició facsímil: Curial ed., 1975).

J. Villanueva, *Viage literario a las iglesias de España*, 22 vols., Imprenta Real, Madrid, 1803-1852.

Enrique de Villena, *Arte de trovar*, edició de F. J. Sánchez Cantón, Victoriano Suárez ed., Madrid, 1923.

152

ÍNDEX